Colección cofrE

EDICIONES
MARGUS

Andrés Carretero

El Tango, la otra historia

Andrés Carretero

El Tango, la otra historia

EDICIONES
MARGUS

EDICIONES MARGUS
Director: Francisco Montesanto

©2004 Andrés Carretero
©2004 Ediciones Margus
A. J. Carranza 2347 11° 74
C1425FXE - Ciudad de Buenos Aires
Buenos Aires - Argentina
Tel. 4772-4648   Fax 4777-0951

El Tango, la otra historia
Primera edición
Colección Cofre
Diagramación y armado del libro: Diego Landro
Ilustración de tapa: Mario Zavattaro
Correcciones: Hugo Dante Bevacqua

IMPRESO EN LA ARGENTINA / PRINTED IN ARGENTINA
Queda hecho el depósito que marca la Ley 11.723
I.S.B.N.: 950-9534-07-2

Esta edición de 1.000 ejemplares se terminó de imprimir en A.B.R.N.
Producciones Gráficas S.R.L., W. Villafañe 468, Buenos Aires, Argentina, en
abril de 2004 .

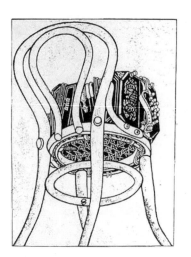

Ilustración de Roberto Páez.

Nota del Editor

La carencia de un bautismo oficial no impide que el tango exhiba un nacimiento documental más ó menos preciso, al que podemos situar entre 1880 y 1890.

Pocos géneros musicales populares pueden enorgullecerse de tener más de un siglo de plena vigencia y de ser reconocidos sin discusión como esenciales al alma de un pueblo.

La historia que aquí comienza a relatarse tiene un protagonista que de por sí la valoriza. Un protagonista conocido mundialmente, pero muy nuestro, muy rioplatense, que ha sabido representar a esta parte del continente americano como pocos. Ese protagonista, dueño de una personalidad propia y definida, tiene un nombre que es apellido, que es apodo, que tiene absoluta identificación bajo una sola, simple y poderosa mención: tango.

Como otros géneros musicales en el mundo, el tango reconoce múltiples influencias y un nacimiento que merece conocerse a través de su desarrollo y evolución, que involucran no sólo a su música, sino a su danza, a su poesía y sus intérpretes.

Así es que se comenzará a contar la vida del tango desde antes que viera la, luz, desde sus primeros perfumes, desde su preconcepción. Y paso a paso se irán reflejando los principales acontecimientos que lo fueron conformando hasta ser lo que fue. Hasta alcanzar una identidad que, pese a la injusta desvalorización de la que en algunos momentos fue víctima, se afirmó definitivamente. Porque un protagonista que tiene más de un siglo y que sin embargo no muestra signo alguno de vejez, bien merece un tratamiento digno.

No es presuntuoso decir que el tango ha sido recibido en todo el mundo como un auténtico acontecimiento cultural. Incluso es posible observar cómo se suman cada vez más adeptos a él, desde los rincones más distantes del planeta.

Tan paradójicos fueron los últimos tiempos históricos, que

han atentado contra las culturas, las han conservado y han posibilitado su expansión, todo a la vez.

De todos modos, y pesar de que a lo largo del siglo XX la prensa, el cine, la radio y la TV provocaron el desarrollo de la comercialización de la cultura -con la división del trabajo, la normalización del producto, la búsqueda del rédito y el beneficio-, no consiguieron eliminar la originalidad, la individualidad, el talento.

Francisco Héctor Montesanto

PRÓLOGO

Si de la historia del tango puede decirse que nunca tendrá fin porque es y será el relato de una transformación permanente, *de rejuvenecimientos* y resurrecciones, la historiografía de la que es sin duda la más importante manifestación cultural de los porteños tampoco va a alcanzar.

Siempre quedará algo por descubrir y algo para decir. Nunca faltarán incentivos para nuevas búsquedas y reflexiones para la exégesis.

A ese caudal, ya con aspiraciones de infinito, que el pueblo entrevió en la primera historia de 1913, debida a Viejo Tanguero, se suma el nuevo trabajo de Andrés Carretero, infatigable buceador e inteligente expositor de sus propios descubrimientos.

El tango - la otra historia, que abarca de 1870 a 2003, no reitera ni resume las obras del mismo linaje que la precedieron, ni se desvela por los eslabones perdidos, ni llena los vacíos del saber, de la información, con arpegios y fiorituras, sino que propone una visión global de esa polimorfa manifestación de la porteñidad.

Carretero -como lo muestran todos sus libros, que no son pocos ni monotemáticos- tiene de la erudición un concepto, o en todo caso una praxis, realmente señalable.

No hace de ella el epicentro de sus labores ni escribe tampoco para lucir el dato oculto en el fárrago elaborado empecinadamente por tangófilos y tangueros.

El dato -ese torcedor de quienes abordan el tema- es para Carreterero apenas un argumento más para explicar sus teorías o un breve descanso de su propio pensamiento.

El acopio impaciente y tenaz de información recabada a desmemoriadas memorias o a siempre falibles textos periodísticos, supone el riesgo de que la tangología se reduzca al cabo a una erudición al menudeo.

Un tangófilo mexicano, que desempeñó alguna vez en Buenos Aires la embajada de su querida nación, me dijo que el tango carecía de teorizadores. Le recordé entonces los trabajos breves -más no superficiales- de Ernesto Sábato y de Horacio Ferrer.

Cuando compuse mi *Crónica General del Tango* cedí al hábito de demorarme en admirar las flores y desentenderme del las raíces, del tronco y del follaje. En mi breve *Historia Crítica del Tango* traté de remediar aquella distracción.

Ahora, frente a esta obra tan densa y al mismo tiempo tan profunda de Carretero, advierto que siempre hay que empezar de nuevo. Pero, ¿qué podría agregar uno a este noble producto de la investigación y de la sindéresis?

Reitero que siempre habrá algo nuevo para decir, pero agrego aquí que para decir lo nuevo es necesario revisar lo dado por sabido, tal como hizo Carretero y tal como debería hacer yo mismo al cabo de la lectura de este libro.

Como no estamos frente a una enciclopedia, no posamos nuestros ojos sobre algunas pequeñas informaciones o gazapos de los que nunca se sabe si son pecados veniales del autor o erratas del tipista.

Lo que importa es dejarse acompañar buenamente por Carretero, que escribe con animo persuasivo como cuando conversa y es un buen compañero de ruta.

"Si lo recorremos cantando -dijo Virgilio en una de sus *Bucólicas*-, el camino es más grato". También se hace menos duro si se lo recorre conversando, sobre todo cuando el paisaje es enormemente bello y el compañero tiene buena vista para recogerlo y buen ánimo para reflejarlo.

Entre 1870 y 2003 han ocurrido muchas cosas en el mundo, en el País y en la aldea.

También en el tango, ese tango bendito que no existiría si no hubiera piernas ágiles para danzarlo, músicos encariñados para interpretarlo y cantores para traducir las emociones y las intenciones de los poetas.

Nadie se imagina la música, si es que la música puede ser imaginada como un jeroglífico de blancas, negras y corcheas trazado como febrilmente por quien quiere transformar sus sentimientos en ritmos y en sonidos.

Ese quizá podría ser el tango de los eruditos y de los críticos. El de los tangueros, en cuyo número me cuento, es el arabesco que traza el botín sobre el piso, es el sonido de la guitarra solitaria o de la numerosa orquesta, es la voz de quienes querrían ser otros tantos gardeles.

Aunque podría parecer una bobera decirlo, me gusta el tango que suena lindo, no importa en qué estilo ni en qué guardia se ubique, o lo ubiquen, como me gustan la cancionista o el cantor que saben lo que cantan e inmediatamente después de saberlo, lo sienten.

Para ser tanguero no hace falta ser tangólogo, tangófilo ni tanguista. Basta con sentirse parte de esta etnia milagrosa compuesta por negros, tanos, indios, sajones y semitas que *habitan la cuenca del río descubierto por Solís*.

Además de tangólogo Carretero es tanguero. La erudición, que es la inseparable compañera y colaboradora de sus escritos, no reemplaza, aunque lo nutre su propio sentimiento, ni les pone límites a sus gustos.

Por eso este nuevo libro, debido a su laboriosidad y a su facundia, no esquiva para llegar a la cabeza el camino del corazón. Cuando discierne lo que le gusta sin duda le gustará mucho más.

El saber acrecienta el placer. Pero si el gusto no es amplio y generoso, el saber conduce a la polémica y a la discriminación.

Es importante que los que escriben sobre el tango amen al tango para que su propia tangología no sea estéril. Carretero, como tantos otros tangólogos, lo ama y lo gusta sin vueltas.

José Gobello

PRIMERA PARTE

LA INICIACIÓN

La palabra tango[1]

Las acepciones de la palabra tango son realmente muy variadas. Aquí, una síntesis de ellas:

1) corral donde se ordeñan las vacas;

2) lugar donde se vende leche;

3) sitio en el que bailaban los negros;

4) en las misiones jesuíticas, espacio para descanso de viajeros y visitas;

5) en quichua, campamento;

6) en idioma kimbundu (de origen africano), espacio cerrado, círculo, coto, (*m' tango*);

7) lugar de concentración, en tierra africana, de los negros capturados, en tierra antes de llevarlos a los puertos de embarque;

8) nombre que daban los portugueses a los africanos que les servían como intermediarios en la trata de esclavos;

9) sitio, ya en tierra americana, en el que se ofrecían los negros en pública subasta;

10) nombre dado a las sociedades de los negros hasta 1813 y de los libertos, mulatos y mestizos, con posterioridad a esa fecha;

11) instrumento de percusión (tambor) y, por extensión, nombre que se daba al baile practicado al ritmo de su sonido;

---

1. Por la pluralidad de significados comprendidos en esta palabra, se la debe considerar como polisemia, de acuerdo con la definición del Diccionario de la Real Academia, t. 2, p. 1843, Madrid, 1994.

12) corrupción de la palabra *Shangó*, dios del trueno y de las tormentas (en la mitología yoruba, de Nigeria);

13) baile de gitanos;

14) reunión de negros, para bailar al son de sus tambores;

15) sitio en el que bailaban los negros;

16) baile propio de Hierro, isla perteneciente al archipiélago de Las Canarias;

17) danza de origen andaluz;

18) baile afrocubano;

19) baile de gente del pueblo;

20) baile de ínfima categoría social;

21) cierto ritmo popular de Normandía, Francia.

22) en latín, primera persona del singular del   presente, modo indicativo, del verbo *tangere* (tocar o tañer).

Galera de esclavos provenientes del África

A lo anterior corresponde agregar que originalmente se escribió *m'tango* el nombre que los reyezuelos africanos daban a los portugueses que concurrían a sus aldeas para comprar esclavos. Como éstos desconocían el idioma, también llamaron *m'tango* a los reyezuelos que les proveían de esclavos.

Luego se extendió esta palabra, por esa falta de conocimiento idiomático de las lenguas locales de África, para designar los lugares donde eran encerrados los africanos que iban a ser convertidos en esclavos.

Con el tiempo, el mismo término fue usado por los portugueses -y más tarde por esclavistas de otras nacionalidades- para identificar la música y las danzas con que las mujeres y los hombres capturados se entretenían durante el tiempo que tenían que esperar para ser embarcados.

En medio de los viajes, los africanos recurrieron a las músicas y los cantos que eran su patrimonio cultural para intercomunicarse con otros hombres y mujeres confinados en los buques, y así restablecer vínculos sociales rotos por los métodos compulsivos usados para agruparlos y llevarlos, de sus aldeas originarias, a los lugares de encierro cercanos a los puertos de embarque.

Poco a poco el término fue penetrando en el leguaje cotidiano de los esclavistas y se redujo casi siempre a la música y la coreografía africana, pero con la particularidad de perder la grafía original y quedar reducida a *tango*, como consta en infinidad de documentos portugueses susceptibles de ser consultados aún en nuestros días.

También corresponde dejar en claro que toda la música africana se escribió originalmente en tres por cuatro, y que así se sigue escribiendo hasta la actualidad, en las regiones de donde provinieron los esclavos llegados al Río de la Plata.

En esas acepciones indicadas antes se observan tres constantes: 1) lugar cerrado, pero no hermético; 2) sitio de baile y el baile en sí; 3) presencia o influencia directa del negro o de su música.

Por ello, es posible que entre las acepciones dadas por el blanco y los fenómenos sociales designados con la palabra *tango* en distintas épocas y circunstancias, haya desacuerdos, pero en la actualidad, no en relación con lo que se pretendió designar o significar, por lo menos durante el primer siglo y medio de la Trata.

Como consecuencia, la trayectoria del tango, desde sus remotos orígenes, debió superar limitaciones éticas formales o fundamentales. Las mismas se han de proyectar por casi medio siglo más, hasta bien entrado el siglo XX.

Origen musical

Sobre la base de las músicas existentes en Buenos Aires hasta la década de 1870, (música de origen africano, nativa, campesina, canto por cifra, payada y también europea), el gusto popular se fue inclinando de manera progresiva sobre aquellos ritmos, sonidos y composiciones que le resultaban más gratos, más afines con su propio sentir.

Por ello, hay que anotar la preeminencia de la música negra, que se sincretizó y transculturó hasta formar un nuevo ritmo, *el candombe*, la guajira flamenca y la cubana, la habanera, el fandango, el fandanguillo, el tango andaluz y el tango flamenco.

Pedro Figari, baile de negros

El resultado, en esta etapa de formación es un nuevo ritmo, el llamado tango congo, tango negro, tango argentino, tango porteño, etc.

Se originó en forma paralela otro fenómeno de transculturación, al producirse la fusión del ritmo lento y acompasado a otro más vivo, más rápido, más cortado, característico de la payada, adaptada como sincretismo musical a la milonga.

Este ritmo se adaptaba, en efecto, totalmente a la modalidad de los payadores, que la hicieron suya, con lo cual se produ-

Fernando Guibert, "Tan tan de candombe"

jo entonces la aparición del contrapunto milongueado.

Esta forma musical tiene tiempos rápidos, para llenar los intervalos vocales, y lentos o menos rápidos, para acompañar las voces payadoras.

Los guitarreros criollos (gauchos), a medida que los cambios rurales los obligaban a acercarse al centro urbano que era Buenos Aires, se fueron adaptando a la música que se desarrollaba en la Ciudad, a la que aportaron:

1) la condición de ser músicos y cantores intuitivos; creadores desde la nada;

2) cierta libertad formal, ya que no se ajustaban a ningún patrón musical conocido y, por lo tanto,

3) la creación de sus propios modelos musicales, recreados posteriormente también de manera libre.

Mario Zavattaro. Ilustración para el Martín Fierro

Con ello lograron llegar a la milonga y finalmente al tango. En ese proceso de transculturación musical se fueron alejando de manera muy lenta, pero progresiva, de la música europea, herencia blanca.

Así, con el llamado *candombe* y con los otros ritmos mencionados, herencia indirecta africana –por más que muy influenciados por la música europea-, compusieron con los trozos seleccionados némicamente, unidos en la creación o re-

Fernando Guibert,
"Inspiraciòn"

creación anónima, fresca y repentista, su propia música. Esa que llegó, con el tiempo, a ser nuestro tango actual.

Lamentablemente, por tratarse de analfabetos musicales, no han dejado señales -en ningún pentagrama- de las etapas de las rupturas ni de las fases de la creación que le siguió.

En esta circunstancia el negro aportó, junto con la música, sus instrumentos musicales, la mayoría de los cuales eran tambores. El mestizo criollo agregó la guitarra y la flauta. Luego se sumaron el violín, la corneta y otros instrumentos de viento.

Ese aporte musical, con su proceso de transculturación, también coincidió con el aporte de la inmigración multinacional -mayoritariamente europea- y el de la migración provinciana, casi siempre campesina.

La pampa iba perdiendo en forma acelerada su horizonte infinito, con la multiplicación de los campos sembrados de cereales, así como con la formación de estancias y chacras, en un

Pedro Figari, baile de negros, "Cortejo de levitones"

rápido proceso de modernización capitalista, ligado al comercio internacional.

Un hito inicial de este proceso fue el viaje del transporte *Le Frigorifique*, (1876), que llevó de regreso carne argentina enfriada y congelada, abriendo las posibilidades de consumo en diversos países del mundo.

Entre candombe y tango

Ese alud que llegaba desde afuera se encontró con otro mucho menor, que lo hacía desde adentro: la práctica de la agricultura y la de las majadas.

En amplios sectores bonaerenses, sin haberse llegado aún a la ocupación de la pampa hasta el Río Negro (1879), esta práctica provocó un desplazamiento de mano de obra que tenía como centro de actividad los ganados vacunos, pero que se quedó sin trabajo al crecer los sembrados.

Se puede estimar con mucho acierto que la inmigración entre 1857 y 1870 ascendió a cerca de 88.000 personas, lo cual representó casi la mitad de la población porteña en 1869, año del primer censo.

Esto hizo que el trabajador rural -llamado genéricamente gaucho, con ocupación estacional en yerras y apartes en aquellas estancias a campo abierto, no acostumbrado al arado, la siembra y la cosecha- se viera obligado a decidir entre dos rumbos muy claros.

Ilustración de Àngel Della Valle

Mario Zavattaro, personajes del arrabal.

Uno, pasar el Salado para adentrarse en campos de estancias, todavía inseguros por los malones, en donde se los reclutaba sin preguntar sobre derechos ni respetarlos, para mandarlos a fuertes y fortines de la frontera interior contra el indio.

Otro, arrimarse a la ciudad, en la que existiría la posibilidad de encontrar trabajo, pues en sus alrededores -suburbios- funcionaban los mataderos, graserías, saladeros y barracas de acopios, en los que las habilidades de esos hombres de a caballo con los ganados y los cuchillos como herramientas de trabajo, encontraban ocupación más o menos cierta, permanente y relativamente bien paga.

Esa población masculina, ducha en el manejo de cabalgaduras y de armas blancas, resultó idónea también para formar en las filas policiales y las guardias de los comités o clubes políticos, y dio así nacimiento al *puntero de la política criolla*.

En los sectores urbanizados, las músicas brindadas por los organitos iban desde zarzuelas hasta cuecas, zambas, e incluían los llamados *tangos*, aún no definitivamente estructurados como tales. También incluían trozos seleccionados de la llamada música culta -clásica y lírica-, muy grata a los oídos europeos, especialmente a los italianos. Estos instrumentos entraron en declinación a medida que los discos de pasta y los aparatos reproductores se fueron popularizando.

Otro elemento propagador del tango fue el sonido de las

cornetas de los tranvías, que anunciaban su paso con breves trozos de los tangos más populares. Tocaban unas pocas notas, reconocibles por los transeúntes como pertenecientes a los tangos entonces en boga.

Lo trascendente fue que la denominación de tango se usaba ya para designar a una nueva forma musical, con su consiguiente forma coreográfica, que se distinguía de otras músicas y coreografías.

En las reuniones bailables donde predominó el espíritu negro, los bailarines de ese origen usaron su ductilidad y su conocimiento coreográfico para desplazar, en la atención de la concurrencia, a los bailarines no negros, que danzaban poniendo de manifiesto su falta de conocimiento y de práctica.

La manera más directa y simple para seguir reteniendo el centro de atracción consistió en exagerar la coreografía, dominada a la perfección, haciendo de esta nueva forma de bailar una estrategia, que alejara de manera indirecta a los menos aptos o diestros, marginados desde siempre en las reuniones de blancos o negros.

Esa exclusión de los salones, patios o pistas de baile, se acentuó en las expresiones musicales que, a pesar de su popularización, podían mantener dentro de las etnias correspondientes, un transfondo sagrado, callado pero todavía vigente.

Las exageraciones de la coreografía fueron imitadas por los blancos que querían bailar, dando lu-

Mario Zavattaro, matarifes.

Fernando Guibert, Tango lujurioso, "Baile en el peringundin"

gar a la aparición de bailarines que con pasos semejantes a los practicados por los negros, arrastrando o acoplando, intentaban equilibrar la experiencia de éstos.

Para hacerlo contaron con el conocimiento previo que tenían de los bailes folklóricos o europeos. Este esfuerzo aproximativo permitió el ingreso de los no negros a la danza.

Por medio de la frecuentación y la práctica, los bailarines blancos torpes, menos aptos y groseros, lograron llegar a convertirse en bailarines aceptables y no desentonantes, alcanzando a comprender y dominar los secretos de la coreografía negra.

Más tarde consiguieron dominarla al grado de poder cambiarla, adaptándola a los nuevos ritmos que fueron apareciendo en la medida en que se plasmaron las distintas amalgamas coreográficas que desembocarían finalmente en nuestro tango.

Entonces, el bailarín blanco estuvo en condiciones de competir en destreza y creatividad con el bailarín negro o mulato, hasta desplazarlo del centro de atracción.

Dominado el ritmo y aprendida la cadencia, fue posible introducir variaciones que eran a la vez fruto de su propia creación y herencia de la cultura europea.

Estas diferencias se fueron decantando, simplificándose por simbiosis, dando lugar a la aparición de músicas y coreografías compartidas por blancos y negros, al lograr rescatar los elementos comunes y eliminar las antinomias.

Entre 1870 y 1890, en los bailes de los negros, además del candombe se tocaban y se bailaban palitas, mazurcas, malambos, gatos, cielitos y tangos, sin que se llegara a especificar respecto a los últimos si eran tangos negros, andaluces, americanos o lo que nosotros llamamos sencillamente tango. Es de sospechar que este nombre se refería todavía entonces a los llamados tangos negros, que estaban en plena expansión.

Lo importante es que la denominación de tango, correspondiera o no al concepto actual, se usaba ya para designar a una nueva forma musical, con su consiguiente forma coreográfica.

Ilustraciòn de Mario Zavattaro.
"El Tango", una de las primeras ilustraciones del tango, con prosa de Julián Enciso. Caras y Caretas, 1908.

No es casual que las músicas que convergieron en aquellas reuniones tienen la particularidad de poder escribirse en 6/8, 3/4 u otras combinaciones binarias, pero pueden ser interpretadas en 2/4.

Tampoco es de extrañar entonces, que en la síntesis musical que se produjo, haya resultado ese 2/4 el elemento unificador de la nueva música popular en gestación, ya que que esa marcación musical era la más adecuada a la escasa, baja o nula cultura musical imperante entre los músicos de la época.

A ello hay que agregar que la memoria auditiva desempeñó un importante papel, al salvar o rescatar trozos musicales.

Esos fragmentos fueron reproducidos tal cual eran memorizados o cambiados, de acuerdo con la manera de sentir que tenía cada músico o también, según la ductilidad que tenían para ejecutarlos, siempre en el ya señalado 2/4.

Con el tiempo se fue formando una base musical inicial indispensable para la evolución posterior.

Vicente Fidel López, en *La gran Aldea,* y otros memoriosos de la misma época, indican que en Buenos Aires existían muchos cantores que se acompañaban con músicas diversas, pero todas ejecutadas en 2/4. López indica con claridad que desde 1860 se bailaba *un aire vulgar, cadencioso, antecesor de la milonga.*

Otra novedad en los bailes era que la pareja bailaba entrelazada, *con luz,* no apretada, resultado de la influencia coreográfica de la habanera y del vals.

Es posible que así sea, pues según la afirmación de Ortiz Oderigo *ninguna danza o baile africano se baila enlazada o abrazada.*

Las reiteradas menciones que han hecho en sus respectivos trabajos Carlos Vega, Ventura Lynch, Vicente Rossi, Rodriguez Molas, o las que es posible encontrar en la literatura nacional que va desde 1810 en adelante, se relacionan con música y baile de *tango*, como también las referencias de las obras puestas en escena, en los años que van desde 1880-1895, señalan la existencias de músicas llamadas de ese manera. Sólo que tales indicaciones no siempre han sido bien interpretadas, por no estar ubicadas en el tiempo respectivo, ni ajustadas a sus verdaderos significados.

Se debe admitir, no obstante, que confirman desde dos puntos de vista, el musicológico y el histórico, la existencia de algo (música, canto y baile) llamado *tango*, pero esas fuentes o referencias sostienen, con sus respectivos testimonios, que la música bailada lo era con parejas sueltas, rasgo distintivo de la coreografía negra, mientras se tocaba la música o se recitaba lo que se podrían llamar letras.

Por ello, decir que se bailaba *tango*, por parejas sueltas, no puede significar que lo bailado era el tango, tal como lo entendemos en la actualidad. Era un baile al que llamaban así, sin llegar a serlo.

A las progresivas modificaciones que se fueron produciendo, se sumaron los pasos de bailes europeos de salón, como minué, vals, polca, etc.

Combinados, adaptados y/o mezclados, estos bailes fueron cubriendo etapas tendientes a desprenderse de la coreografía original, vigente y casi inamovible por lo estratificada hacia 1860, pero casi irreconocible en 1890, por las innovaciones introducidas y aceptadas hasta por el más conservador de los bailarines.

Además, esa nueva coreografía no había perdido la chispa de la creación repentista, que hizo aparecer en forma paulatina los pasos parejos del hombre y la mujer.

Surgieron así los cruzados, el retroceso, el avance frontal, el lateral, la vuelta sencilla o complicada -con entrecruzar de piernas-, la sentada, la corrida y la infinita posibilidad de crear sobre la marcha y sin patrones previos, nuevos desplazamientos que embellecieron la danza.

Todo indica que ha sido la música la que determinó la coreografía, a lo que debe agregarse la creación de los bailarines y, no a la inversa, según se ha pretendido sin fundamentos sólidos.

Como no podía ser de otra manera, la Argentina, país de inmigración, presentó desde mediados del siglo pasado un amplio abanico de músicas, casi siempre europeas, pero de muy variado origen.

Fotografía de Christiano Junior, c. 1870-1880

El elemento popular, pese a su analfabetismo musical, tenía necesidad de la melodía en la música que tocaba, bailaba y/o cantaba, por ser ésa la herencia europea recibida, especialmente española.

De allí que, así como incorporó el baile lenta y progresivamente, de igual modo fue introduciendo la guitarra, instrumento musical de todas las clases de la sociedad blanca.

Además, la guitarra tenía la ventaja de ser conocida por la sociedad negra, ya que la había visto y oído en las reuniones sociales brindadas por las familias de pro en sus salones, donde negros y negras ingresaban nada más que como servicio doméstico.

Por eso, el aporte de la guitarra ejecutada por manos de blancos no significó ruptura violenta, por tratarse de una asimilación voluntaria y no compulsiva.

La melodía aportada por este instrumento complementó el ritmo de los tambores y, al mismo tiempo, facilitó los cambios que se estaban introduciendo en la coreografía candombera.

De allí que los pasos, giros y desplazamientos se realizaron a una velocidad menor, pero siempre manteniendo el ritmo del 2/4 original.

Esa reducción en la ejecución de los pasos, permitió al bailarín blanco adecuarse a los pasos de las mujeres negras, induciendo a éstas a que se adaptaran a la falta de práctica de los blancos, pues no tenían otros compañeros para bailar que no fueran niños o viejos, dada la constante declinación numérica del elemento masculino afroporteño.

En esas circunstancias el proceso de transculturación entre negros y blancos se mostró recíproco, por tomar y dar.

Los negros asimilaron la melodía de la guitarra y la nueva velocidad impuesta, mientras los blancos daban el instrumento musical y una nueva coreografía, que se iba adaptando día a día a las aptitudes de los nuevos bailarines.

La incorporación de la guitarra abrió el camino para la sucesiva y posterior incorporación de la flauta y del violín, dos instrumentos de la música blanca tampoco desconocidos por los negros, pues varios de ellos fueron maestros que daban clases particulares, siguiendo las huellas iniciales de los maestros de ceremonias que dirigieron bailes –saraos, como se los llamó- en casas de Melchora Sarratea, Flora Azcuénaga de Santa Coloma o Mariquita Sánchez, por nombrar unas pocas familias distinguidas, a las que se agregó con posterioridad a Caseros[2], el Club del Progreso, donde las negras y negros también tenían acceso, pero como domésticos.

Este trío musical -guitarra, flauta y violín- se incorporó de manera individual y en forma ocasional, alternada y también progresiva, al faltar alguno de ellos en los bailes, pues no todos los músicos blancos jóvenes concurrían a los ranchos, patios o refugios, de manera masiva, a tocar, escuchar música y bailar, si se presentaba la oportunidad.

Esos instrumentos fueron llenando los progresivos musicales dejados por los tambores, que se iban tocando cada día menos, y en cierta medida y muchas circunstancias, provocaron su retiro de manera lenta pero firme.

---

2. Se hace referencia a la batalla en la que Justo José de Urquiza, al mando del llamado "Ejército Grande", derrotó a Juan Manuel de Rosas y puso fin de ese modo a su largo gobierno.

De esa forma, cuando el llamado candombe dejó de tener presencia musical en los lugares de bailes suburbanos o en barrios no céntricos, ya estaban esos instrumentos que los reemplazaban y otro ritmo musical que sustituía al anterior.

Por otra parte, la incorporación de instrumentos musicales europeos, a pesar de no ser una novedad, tampoco resultó fácilmente asimilada para los negros, especialmente para sus dirigentes espirituales, al producir una disolución de los patrones ancestrales.

A esta altura del proceso de transculturación se dieron las mismas circunstancias que con la presencia de instrumentos musicales para animar bailes de tango, esto es, la falta de alguno de ellos.

Por lo tanto, no hay que sorprenderse si en la coreografía tanguera aparecen pasos que son bailados en otras músicas, pues ha habido -desde la época de gestación- trasvasamiento, utilización de lo conocido para llenar los vacíos.

En aquel entonces ya existía en la ciudad y el suburbio una población con mayoría masculina ocupada en tareas temporales, afines con el ganado (matarifes, troperos, cuarteadores, etc.) con muchas manifestaciones sociológicas coincidentes, aunque también con algunas pocas discordantes.

Por eso, la unión y la transculturación entre la mano de obra rural migrante y la mano de obra urbana arraigada, se produjo sin excesivos sobresaltos ni enfrentamientos irreconciliables.

Debe hacerse notar que la radicación de la mano de obra de origen campesino se realizó en las afueras del radio urbano tradicional y no en su seno.

Debido a ello, la hostilidad del campesino contra el elemento fuertemente influido por la cultura europea, considerado a priori como letrado y culto, no se verificó o lo hizo de manera inconexa.

Contra quien se manifestó con agudeza fue con la mano de obra inmigrante, que después de ocupar y sobrepasar la capacidad de los conventillos se adentró en el suburbio, donde explotó hornos de ladrillos, alfalfares para engordar vacas lecheras y desarrolló otras actividades entre comerciales y de servicios, las que sin ser nuevas, eran redituables (para estos trabajos, el inmigrante estaba culturalmente preparado).

Primeros nombres de tangos

Posiblemente el primer nombre que se divulgó casi sin límites, fue el llamado *Queco*, o *El Queco*, que según estudiosos y críticos era el adecentamiento del nombre dado al prostíbulo. A este nombre se lo deriva de un tango andaluz llamado *Quico*, designación afectiva que se daba a los llamados Francisco, adaptada a la idiosincrasia porteña.

A ese tango le siguieron *Señora casera, Al salir los nazarenos, Andate a la Recoleta, Dame la lata, Bartolo, Señor comisario, El palmar,* y otros cuyos nombres originales se perdieron o fueron adecentados como *Sacudime la persiana, Cobrate y dame el vuelto, La cara de la luna, El choclo, Cara sucia* y *Tierrita.*

Partitura del tango "Cara Sucia"

Todas esas denominaciones corresponden al período en que el tango encontró en los inquilinatos, prostíbulos y ambientes del pobrerío trabajador, el ámbito preciso para su refugio y su posterior fortalecimiento y expansión.

A ello se incorporó el argot o lunfardo carcelario, ya que no pocos de los concurrentes y poetas eran de esos ambientes.

Lo atrapante de sus melodías le permitió incursionar progresivamente en otros ambientes más elevados en la escala social, coincidentemente con la aparición de la clase media.

Mario Zavattaro, puntero político.

Fueron llegando entonces otras composiciones con títulos alejados de esos ambientes que eran rechazados, ahora referentes a cuestiones políticas del momento, como *Unión Cívica*; a personajes destacados como *Don Juan, Don Esteban,* o a temas patrióticos como *Sargento Cabral, Independencia, 9 de Julio.*

Asimismo, algunos relacionados con nombres de studs, de caballos de carrera, de negocios importantes, como *A la ciudad de Londres, Gath y Chaves, Caras y Caretas, La Nación, Pineral, etc.*

También aparecieron, entre otros, *El porteñito, El mayordomo, El pollito, La morocha, Mozos guapos, Felicia, El irre-*

sistible, El caburé, Noche de Garufa, El Cachafaz, El Flete, El Aeroplano, Champagne tangó, La biblioteca, Matasanos, 18 kilates, El Taura y Hotel Victoria.

Al elevarse el nivel cultural mediante la difusión de los conservatorios y academias musicales creció la calidad de las composiciones, de las interpretaciones, al mismo tiempo que se comenzó a escribir en pentagramas.

La popularización de la música originó un mercado que pedía temas para interpretarlos en las casas, o reuniones sociales.

Esa demanda impulsó la edición de las partituras de los tangos. Como muchos de los músicos instintivos no sabían llevar al pentagrama las notas de su creación, debieron recurrir a amigos para hacerlo (éstos, al mismo tiempo que graficaron las composiciones silbadas o tarareadas, corrigieron errores elementales).

De todas maneras, la difusión de la música animó a algunos editores a imprimir las músicas, corriendo el albur de no venderlas.

La música grabada tuvo mucha aceptación en la clase media y alta, lo cual dio lugar a un verdadero auge de casas que vendían discos y aparatos reproductoes.

En Buenos Aires, alrededor del año 1895 empezaron a conocerse los primeros cilindros Pathé y Edison, como curiosidad, en algunas casas de familias pudientes y también en algunos negocios del viejo Paseo de Julio, donde por diez centavos se ofrecía

36

Publicidad de las primeras grabaciones, en Caras y Caretas, 1903.

la novedad al público que hacía cola, aguardando turno para escuchar el sonido producido por el aparato.

Los artistas preferidos en esa época eran Alfredo Gobbi y su esposa, Flora (padres del gran ejecutante, director y compositor homónimo), Eugenio G. López y Angel Villoldo.

Hacia 1900 se importó una máquina grabadora de discos, de una sola faz o cara utilizable. En ella, Gobbi grabó *Gabino el Mayoral*, acompañado por su mujer y también por Villoldo.

Dadas la naturaleza de la música y las letras que incluían, las composiciones de pricipios del siglo XX casi siempre terminaban en peringundines, trinquetes, prostíbulos, casas de baile o cafés que utilizaban la novedad del fonógrafo para atraer clientela.

Entre las casas comerciales y tiendas al estilo europeo que vendían discos y aparatos reproductores, se contaron la famosa Gath y Chaves y Avelino Cabezas.

La primera de ellas, ante las posibilidades casi infinitas del mercado consumidor de discos, contrató al matrimonio Gobbi y a Villoldo para que se instalaran en Londres y luego en París, a fin de grabar para el mercado local, con buena calidad sonora, las composiciones de mayor éxito.

En 1919 Odeón Argentina y su connacional Victor, quedaron casi completamente dueñas de la situación comercial.

El sistema mecánico de grabación subsistió hasta 1926, en que se produjo la innovación técnica de grabar por el sistema eléctrico, que introdujo la utilización del micrófono.

Se estima, sobre la base de datos ciertos, que la primera grabación eléctrica realizada en Buenos Aires tuvo lugar en estudios del sello Odeón, el 8 de noviembre de 1926.

No fueron muchos en ese entonces los músicos que se ganaban la vida interpretando música en los lugares que ofrecían comodidades para ejecutarla, escucharla y bailarla. Y todos tuvieron en común el hecho ser violinistas, flautistas o guitarreros.

Para conseguir realmente el sustento, sus repertorios debían tener un número mínimo de veinte composiciones, ya que así les rendía el cobro por pieza brindada, que era de diez centavos.

Fonógrafo "LIRA".
Emisión vocal fuerte y clara. Precio excepcional: $ 4.80
Otros modelos hasta $ 500.

A ese efecto, pasaban el plato o el sombrero (*pasar la gorra*, se decía entonces), que era la forma de recibir la retribución. No todos los bailarines y oyentes pagaban, por no tener la moneda necesaria. Esto se repetía tres o cuatro veces por presentación. Así, conseguían reunir entre dos y cinco pesos cada noche.

Publicidad del fonógrafo para escuchar con cilindros.

Poco a poco se fueron dando dos fenómenos paralelos: uno, coincidencias de composiciones, con variantes o sin ellas, y otro, la unión de dos, tres o más músicos, de instrumentos distintos (dos guitarras, o dos violines, una flauta, por ejemplo), que

Pathéfonos
a DISCOS PATHÉ
SIN PÚA

Guitará criolla
PATHÉ

Notable
repertorio
criollo

Ángel G. Villoldo

Discos de

Fidan Catálogos

Inmenso surtido en
Discos de celebridades

Fonografía Pathé

Av. de Mayo, 781-789 - Buenos Aires

Caricatura de Ángel Villoldo, de una
publicidad de los fonógrafos Pathé.

coincidían en un número mínimo de composiciones, armando o estructurando, al unirse, un repertorio aceptado y reclamado por el público ante el que actuaban.

Esta forma de presentarse y brindar música en forma individual o grupal, se fue dando entre 1880 y 1895.

También en este período se fueron afirmando las bases de los pequeños conjuntos (dúos, tríos, cuartetos), que más adelante habían de ser lo predominante en una nueva etapa.

Entre guitarristas, flautistas, clarinetistas, pianistas contrabajistas y bandoneonistas, no llegan a treinta los nombres salvados del olvido.

Una presencia fundamental: el bandoneón

Con los últimos años del siglo XIX, todo ha evolucionado en la Gran Aldea, ya transformada en Gran Ciudad.

La población criolla va en aumento, la clase trabajadora comienza a tener un esbozo de conciencia, la economía prospera. Asoma la industria y el comercio es múltiple.

Buenos Aires no sólo se ha expandido sino que también se muestra embellecida y aparece como una de las ciudades más importantes de América, aunque permanezcan las zonas pobres -que parecen abandonadas y que demoran en sumarse al progreso.

Apenas federalizada (lo fue en 1880), la capital de la

Argentina comienza a tener su música propia, el tango, que veinte años después muestra ya características particulares, que reflejan claramente el *espíritu* popular de la gran urbe porteña.

Aunque siga siendo despreciado por la clase alta, el tango se ha impuesto inexorablemente y todos terminarán por aceptarlo. Como terminarán por aceptar a un instrumento que va ganando el primer lugar en los pequeños conjuntos y que se está convirtiendo en el más característico: el bandoneón.

Quinteto Berto

Su trasplante es una consumación esencial en la evolución del tango, y será su sonido de órgano el que le dará la personalidad intransferible en su ejecución.

Sus antecesores fueron el acordeón y la concertina. Precisamente, un fabricante de este tipo de instrumentos a fuelle, Heinrich Band (1805 1888), creó el instrumento, que tomó su apellido como raíz del nombre bandolium o bandolión, aproximado a bandolón -instrumento de cuerdas , hecho que se habría verificado cerca de 1840 (1835, según Sierra; 1838, según Gesualdo)..

Se supone que este instrumento fue ideado para suplir al órgano en oficios religiosos al aire libre y que además se utilizó, sin mayor éxito, en bailes campesinos, ya que en ellos siguió siendo preferido el acordeón.

También se dice que al comienzo los bandoneones tuvieron pocas notas, fueron pequeños y podían llevarse colgados del cuello por una correa, para tocarlos de pie, pero que al aumentar de notas y de tamaño se los debió manejar sobre los muslos del músico sentado.

Buenos Aires. Fotografía de la época.

Sin embargo, hacia el año 1860, la industria del bandoneón había prosperado, lo cual indicaría, cuando menos, que estaba superado su inicial fracaso.

Dentro de esa positiva ráfaga, Alfred Arnold aumenta considerablemente la fabricación con su famosa marca "Doble A", que fue la que terminaron por adoptar prácticamente todos los bandoneonistas porteños.

Existen varias referencias acerca de la fecha de introducción del bandoneón en la Argentina, transmitidas oralmente.

Precisamente, por no haber documentación que lo certifique, citaremos hechos concretos.

Domingo Santa Cruz, nacido en 1884, según afirmaciones de su hermano Juan, desde muy niño (¿1890?) comenzó a tocar en el instrumento de su padre, soldado en la guerra de "La Triple Alianza".

En un reportaje de 1915, Juan Maglio (*Pacho*), nacido en 1880, recuerda: "Mi padre tocaba el bandoneón y el acordeón armónico." Su padre, llamado Pantaleón Maglio, de origen italiano, se contaría por lo tanto entre los primeros bandoneonistas.

En la misma nota, *Pacho* habla de su primer bandoneón de 35 botones (el último que tuvo era de 75).

Otro caso similar sería el del pequeño bandoneón del padre de Ciriaco Ortiz,

Bandoneón
de Eduardo Arolas

cuya fecha de fabricación era 1878.

De José Santa Cruz dijo Berto en 1937 que lo primero que tocaba era una concertina; lo mismo podría sospecharse del de Maglio (de dos octavas, según De Caro).

Se deduce entonces que en esa etapa primitiva de los conjuntos de tango, los que ejecutaban la concertina y los acordeones fueron los primeros músicos que pudieron adaptarse al nuevo modelo de origen alemán.

A su llegada a Buenos Aires, el bandoneón no fue aplicado al tango, sino a los ritmos en los que se usaban sus antecesores: valses, polcas, tal vez milongas y estilos.

A Sebastián Ramos Mejía también conocido como "El pardo Sebastián , conductor de tranvías a caballo, se le atribuye la primacía de interpretar los primitivos tangos en bandoneón. Y esto le dio fama en las terminales de su línea, en los cercanos cafés o bodegones o en fiestas familiares, con lo que posiblemente ganaba unos pesos más.

Junto a Ramos Mejía, Santa Cruz y el inglés Moore, se cita entre los precursores en la ejecución del instrumento a Pedro Avila, José Scott y el ciego Ruperto.

Seguidores y contemporáneos fueron Chiappe, Zambrano, Mazzucchelli, Solarí, Vázquez, Ramos, Lamadrid, Pinilla, Pellegríni, el "cabo" Coco, Máximo "el lombardito", Sebastián Cato, Pastor (en La Plata) y Casiano (en Córdoba).

Eduardo Arolas

Otros han sumado nombres como los de de Domingo Repetto, Pablo Romero, Domingo Biggeri, Manuel Firpo y José Píazza, uno de los primeros maestros de Pedro Maffia.

El bandoneón es incorporado a los conjuntos, Orquesta Típica Greco

Ya a fines del siglo XIX el bandoneón está identificado con el tango, forma parte de los pequeños conjuntos, desplaza a la flauta y se consolida como el gran instrumento del tango porteño.

Los primeros conjuntos que se improvisaron para la ejecución de tangos tenían como base el violín y la flauta (o el clarinete), a los que se agregaba algún instrumento rítmico de cuerdas, que podía ser arpa, mandolín o guitarra. La concertina, el acordeón o la armónica fueron utilizados también, pero con menor frecuencia.

Al incorporarse el bandoneón a esos primitivos conjuntos comenzó a correr peligro la flauta, hasta que fue definitivamente desplazada por aquél.

Desaparecieron entonces las alegres fiorituras y fue asentándose el rezongo del fuelle. La flauta persistiò sin embargo por algunos años y con ella se mantuvo la formación del cuarteto característico de la Guardia Vieja, pero el trío de bandoneón, violín y piano sería la base de las orquestas típicas.

Antes de 1910 esta fundamental formación ha cristalizado, y ya han surgido nuevos y habílisimos ejecutantes, entre los cuales es imposible dejar de mencionar a Juan Maglio, Vicente

Greco, Arturo Bernstein, Genaro Espósito y Eduardo Arolas.

Y cuando estos músicos veinteañeros brillaban plenamente, nacía ya una nueva y virtuosa generación: Juan Bautista Guido, Osvaldo Fresedo, Pedro Maffia, Pedro Láurenz, Carlos Marcucci. Luis Petrucelli...

Con cada uno de ellos, y con otros grandes ejecutantes que los sucedieron, quedó plasmada la inconmovible titularidad del bandoneón en los conjuntos de tango.

Orquestas precursoras

Predominaron, en los lugares donde se brindaba música y baile, los dúos y tríos, que eran más fáciles de formar y de mantener.

En los tiempos iniciales se impuso la ejecución némica y la incorporación de partes creadas de manera repentista, intercalándolas, mientras se ejecutaba la pieza recordada. Esto enriqueció la música inicial, por la libertad creadora que posibilitaba.

La generación de músicos analfabetos fue sucedida por la de músicos letrados musicalmente. Con ello se logró mejorar y elevar la calidad de las composiciones, pero se perdió la creación repentista mientras se ejecutaba.

En realidad, los grupos musicales formados a fines del siglo XIX y años iniciales del XX, fueron bandas cuyo modelo eran los conjuntos militares, y como en ellas predominaron los instrumentos de viento y las ropas al estilo húngaro o germánico.

Orquesta "Pacho", Juan Maglio

Se produjo con posterioridad el ya mencionado desplazamiento o reemplazo de instrumentos, que daría lugar a la guitarra y al bandoneón.

También se dio el caso de algunos músicos que, buscando mayor sonoridad, incorporaron la guitarra de nueve cuerdas, de la que dejó buen recuerdo el ciego Aspiazu, en el tiempo de su actuación en el Hansen.

Orquesta Típica Greco

Esto no significó la desaparición de tríos o dúos, sino que los fortaleció, pues al mejorar la calidad musical de sus integrantes se pudo ofrecer al público mejor música para escuchar y para bailar.

En este período creció la fama de músicos como Juan Maglio (Pacho), Augusto P. Berto, el Tano Genaro R. Espósito, Garrote Vicente Greco, Eduardo Arolas o Arturo Lavieja, pues fueron contratados asiduamente para animar la reuniones en trinquetes, academias, peringundines, prostíbulos, cafetines, bodegones y cafés barriales.

En el período inicial considerado, el prestigio alcanzado por la casa de María la Vasca hizo que proliferaran otras con el nombre de la mujer más importante, como madama o propietaria.

Café Tortoni. Fotografía de la época

Por ello es posible recordar otras Marías: la Negra, la Leona, la Mechona, la Larga, la Ligera, la Dulce, la Flautista, así como otras que no fueron María: Emilia Castaña, Juana de Dios, Mariana Manfredonia, Leonora Mercocich, Consuelo Martínez, Elisa Bisa, Paula Petrovich, Laura López, etc.

Se popularizaron lugares como el Café de Adela, el de Amalia, el de la China Rosa, los bailes de Peracca, los realizados en los Andes, los del Olimpo, los del Elisée, al que la crónica histórica consideró como el primer cabaret que existió en Buenos Aires (estaba situado en los altos del Bar Maipú).

Seguían subsistiendo los cafés de la Boca, Palermo, Barracas y el Centro, lo mismo que muchos de los trinquetes, academias y peringundines.

El Papa Pio X acepta el tango.

Lo realmente importante en este período de la historia del tango, es su difusión sostenida, firme, que le permtió llegar a ciertos sectores de clase media y media y alta, por más que hubo también núcleos o bolsones de oposición, rechazo y condena moral.

La clase alta porteña en general se distinguió entonces no sólo por el estándar de vida, sino también por un ritmo desen-

ВСѢ
ТАНЦУЮТЪ
ТАНГО...

El tango en Rusia.

frenado de satisfacciones hedonistas.

Una suma de circunstancias materiales y espirituales hicieron de París la capital mundial del refinamiento social y del buen gusto.

Por lo tanto, visitar aquella ciudad o vivir una temporada en ella, daba una pátina de superioridad cultural y refrendaba de esa forma el status local.

La clase alta argentina, que la visitó frecuentemente, cometió el error de suponer que la posesión de riqueza material era condición natural y suficiente para adquirir, mediante aquella especie de peregrinación, una consagratoria distinción social que, a la vez, resultaría exclusiva.

La sorpresa fue encontrar que el sector de París que llevaba una agitada vida social, abierta a las manifestaciones exóticas había aceptado al tango en salones familiares y lugares sociales de gran respetabilidad.

El tango en París.

Bailado, aplaudido y festejado, el tango contrastaba con la clase adinerada que, proveniente de la misma ciudad, lo despreciaba por ser expresión de clase social baja, personificada -tanto en los músicos como en los bailarines- por hombres y mujeres que *vivían en conventillos y eran prostitutas o rufianes.*

En esos momentos (1912) había en París más de 100 a-cademias que enseñaban a bailar el tango, con sus respectivos bailarines, que actuaban como maestros.

El tango, dueño casi absoluto de algunos sectores parisi-nos, contó entre aquellos maestros a Saborido y a Simarra, gran bailarín, que tuvo muchos alumnos en su academia de baile, a la que llamó *Vermouth Tangó*, y que era llamado a diario para ani-mar reuniones bailables en las casas de las mejores familias.

El triunfo popular del tango en París y en la mayoría de las capitales europeas, significó un cambio en el ritmo. De ágil, rápi-do y vivaz, pasó a ser lento, melodioso y acompasado, acorde con el estilo de vida placentera y carente de sobresaltos, propios de la burguesía media y alta, que formaba el sector social más culto y dinámico de la *belle époque*.

Café Victoria.

B. Simarra enseñando
tango en París

Partitura de "El Choclo", de Ángel Villoldo

SEGUNDA PARTE

PERÍODO DE CONSOLIDACIÓN

Los primitivos herederos

Para la fecha del Centenario de Mayo existió una segunda generación de tangos que arranca al borde casi inicial del siglo XX y que se jalona en nombres como *Venus* (Bevilacqua), *La Morocha* (Saborido), *El Otario* (Metallo), *El Choclo* (Villoldo) y *El Incendio* (De Bassi). Esta etapa presenta tres características distintivas:

1) Sus compositores son en su mayoría letrados en materia musical. Para ello, han concurrido a Conservatorios y, más todavía, algunos de ellos fueron directores de importantes conjuntos o directores de destacados centros de enseñanza:Cimaglia, Spatola, Heargraves, Alarcón, Roncallo, entre otros..

Partitura de "El Otario", de G, Metallo

2) Corresponden a la etapa transicional entre las música campesina nativa (tango criollo), y la urbana, por lo que la mayoría refleja en sus títulos o en sus letras ese contenido híbrido, al no llegar a ser el reflejo de las calles, pero sí de los campos o, por lo menos, del suburbio semirrural.

3) Los conjuntos musicales que los interpretan, además de contar con músicos de aceptable formación, tienen la característica de la estabilidad laboral, por lo que ya puede hablarse de las orquestas típicas de determinado director.

Los payadores

Podría afirmarse que, paralelamente a la gestación y desarrollo del tango, en Buenos Aires se fue arraigando un arte cultivado previamente por el gaucho: el arte del payador.

Con el avance de la ciudad sobre el campo, esta ingeniosa forma de canto del criollo va haciéndose urbana, puesto que la adoptan y enaltecen cultores ciudadanos, esos grandes payadores que en pocos años se multiplican, ganan lugares propicios e importantes auditorios, para asombrar y entusiasmar con su mente, su voz y su guitarra.

"La payada con el moreno", de Carlos Clerici, en La vuelta de Martín Fierro, 1879, José Hernández

Y mientras ellos hacen gala de su arte, va cundiendo en la Ciudad la nueva música que se baila y los pequeños conjuntos que la ejecutan. También los músicos del tango se van multiplicando. Habrá, sin quererlo, y siendo dos artes tan distintas, un enfrentamiento, una lucha que se hace más evidente en las dos primeras décadas del siglo XX.

"El gaucho cantor -escribió Sarmiento , es como el bardo, el vate, el trovador de la Edad Media, que se mueve en la misma escena entre las luchas de las ciudades y el feudalismo de los campos, entre la vida que se va y la vida que se acerca. El cantor anda *de pago en pago*, de tapera en galpón, cantando sus héroes de la pampa perseguidos por la Justicia, los llantos de la viuda a quien los indios robaron sus hijos *en un malón*, la derrota y la muerte del valiente Rauch, la catástrofe de Facundo Quiroga y la suerte que cupo a Santos Pérez...."

Entre 1890 y 1900 se impone ya la figura del payador urbano, que desplaza al gauchesco: "Ha modificado su manera de ser. De gaucho errante se ha convertido en artista vestido a la moderna que recorre los pueblos, cantando en los circos, en los clubes, en los teatros; el cantor romántico, caballeresco, podríamos decir, ha cedido el puesto al artista que sabe cuánto vale y se hace pagar bien su arte", comenta Francisco Pi y Suñer.

A. de Nava

Este cambio ha comenzado en las plazas donde se asentaban las carretas y en los mercados donde se comerciaban los frutos del país. Allí aparecía el atractivo payador, como en la campaña, a la luz de los fogones que en las noche se encendían.

Es posible que esos mismos payadores, herederos de Martín Fierro, venidos del campo con sus vestimentas gauchas, hayan sido los primeros en cantar también en los almacenes ciudadanos, que equivalían a las antiguas pulperías de la campaña.

Gabino Ezeiza

Jóvenes de la ciudad son encantados por estos gauchos cantores y se largan a imitarlos, porque se hace carne en ellos la tradición lírica criolla.

Cambian sí sus maneras, sus vestimentas y hasta sus temas y su música, pero salvan con esta transformación al clásico payador, que ya no recorría la pampa ni tenía ambiente propicio dentro de la vida campesina,

Juan de Nava

porque también ésta había cambiado, e incluía ya a los extranjeros, que no podían comprenderlo.

El contacto con el ambiente urbano trajo aparejadas inevitables modificaciones derivadas de la adaptación, pero que no afectaron el espíritu del payador.

Su instrumento inseparable era la guitarra, y su métrica preferida la del octosílabo. Las formas estróficas fueron variando, adaptándose a las estructuras musicales utilizadas.

Payadores. Fotografía de la época. Se puede distinguir a Gabino Ezeiza, con guitarra, abajo a la izquierda

Después del cielito de los tiempos heroicos y de la vidalita, la cifra fue la forma musical más usual para el gaucho cantor, pero el payador ciudadano supo inclinarse por la milonga.

Las cuartetas y las décimas eran las formas que más se utilizaban, pero también aparecieron en las payadas las sextinas, las octavillas y hasta las redondillas.

Otras maneras de probar el ingenio fueron las payadas a "media letra", en las que se va contestando de a dos versos, y la "con eco", en las que se toma la palabra final de uno para iniciar los dos versos siguientes del otro.

Entre los más famosos payadores urbanos nacidos en la segunda mitad del siglo XIX se cuentan Gabino Ezeiza, Nemesio Trejo, José María Silva, Pablo Vázquez, Higinio Cazón, Luis García y José Betinoti.

El payador denuncia las injusticias, El payador sirve a un partido político o a un caudillo. El payador ciudadano a menudo se ubica como gaucho y alaba, elogia o satiriza determinados aspectos del progreso.

En este período de auge del payador ciudadano, que podemos fijar entre 1890 y 1920 -período en el que actuaron brillantemente todos los payadores citados-, el tango va evolucionando, tomando sus formas definitivas y multiplicando sus músicos y compositores.

Como el tango es sobre todo danza en ciertos lugares, y música para escuchar en otros ambientes, no ha adoptado definitivamente "la letra", se resiste aún a ser canción.

Es que precisamente la hegemonía de la canción está en manos de los payadores. Sin embargo, la nueva música de Buenos Aires se abre paso y procura conquistar cada vez más a los auditorios populares. Aunque no buscada, se entabla entonces una puja con el arte payadoresco

Ángel Villoldo

Para ganar terreno, el tango "ciudadano", se disfraza con el adjetivo "criollo", y no faltará un compositor y director de orquesta que para poder hacerle admitir a un auditorio selecto *El choclo*, lo anunciará como "danza criolla".

Y algo más. El tango les disputa a los payadores la temática, y al no insistir con letras acriolladas, como las de Villoldo para *El Choclo* y *La Morocha*, pone en las coloridas carátulas de sus ediciones títulos como *La Indiada, La trilla, La montura, El estribo, El pial, El baqueano, Mate amargo, El gauchito, Recuerdo de la pampa, La yerra, Flor de cardo, El chajá, Sauce llorón, La chinita, El flete, El matrero, El cencerro, El fogón,* etc., etc. (en los discos de doble faz, a veces compartidos entre payadores y orquestas típicas, esos títulos suelen llamar a confusión)..

Es posible que la idea de ponerle letra a determinados tangos, es decir, tomar la música de algunos para hacerlo, haya sido un procedimiento inspirado también por los payadores. Por algo, prácticamente el único letrista tanguero de esa época es Villoldo, iniciado también en lides payadoriles. Y es el mismo Vílloldo el que nos da la imagen de un primitivo cantor de tangos acompañado, como los payadores, con su propia guitarra.

Precisamente la guitarra, que entró cada vez más en los primitivos conjuntos *de Tango* -pasando de criolla a porteña-, habrá de ser más adelante, como se verá, el clásico acompañamiento de los futuros cantores del tango-canción.

La única diferencia notoria de la poesía de los payadores con los sencillos versos puestos a los tangos es la temática; llegará un momento en que el payador se verá obligado, a su vez, a disputarle un lugar al tango, y entonces hasta utilizará su lenguaje.

Así, veremos cantar en lunfardo tanto a Gabino Ezeiza como a Arturo De Nava; al moreno Higinio Cazón firmar *No arrugue... que no hay quien planche*, tango nacional derivado del caló, y a José Betinoti hacer lo propio con sus *Versos del arrabal* y *El cabrero*.

Otros payadores no cedieron; se mantuvieron en la pureza de su línea tradicionalista, pero hubo algunos que directamente se dedicaron a escribir y cantar tangos cuando la hora lo exigió.

Así ocurrió con Arturo A. Mathon, que cuando volvió a la Argentina hacia 1915, después de recorrer varios países americanos -y se encontró con el tango en pleno auge- , siguió los ejemplos de Gobbi y Villoldo y grabó una serie de discos, con bandoneón y guitarra, que incluyen tangos con sus letras, como *El rana, El cachafaz, El apache argentino, El taura del sud,* etc.

Otro caso es el de Francisco. N. Bianco, uno de los precursores en cantar con orquestas típicas, admirador de Betinoti y Cepeda, que alguna vez había escrito esta décima: "Soy el gaucho payador/ de la llanura infinita,/ el rey de la vidalita/ por su buen gusto y dulzor;/ el que hoy no tiene valor/ pa'l que es de distinto rango,/ que más le interesa un tango/ del bajo o del arrabal/ que un canto tradicional/ con arpa, quena y charango."

Sin embargo, Bianco sucumbió también al empuje del tango, y además de cantar con las orquestas de Roberto Firpo y

Eduardo Arolas puso letra a *La payanca*, de Berto, y es autor de la música y los versos de *La cuna del tango.*

Más acá en el siglo XX, un payador que aún brillaba con la gloria de muchos años, Arturo De Nava, actuaba en el famoso Armenonvill cuando apareció *un morochito que* sobresalía en un dúo con José Razzano. Claro, el mismo Carlos Gardel que pasearía por el mundo, junto a los tangos, la canción de de Nava "El carretero".

Podemos juzgar, dentro de lo deficiente y escaso de sus grabaciones, las voces y las interpretaciones de payadores como el propio Arturo De Nava, Gabino Ezeiza, Higinio Cazón, José María Silva y José Betinoti.

Es importante tocar este punto, porque estos artistas alcanzaron a registrar las composiciones que tenían en su repertorio como "cantores", canciones que se hicieron populares, que repetían y que les eran solicitadas en cada actuación.

Estas canciones, cadenciosas. sentidas, nostálgicas muchas veces, contrastaban en general con los primitivos tangos que cantaban Villoldo, Gobbi y Mathon también documentados en discos , que eran de tono alegre, gracioso y apicarado.

A Betinoti debemos tenerlo especialmente presente, porque a través de los discos nos llega veladamente su expresión como la del cantor del amor, del hogar, de las madres, de las penas y las desilusiones.

Y paradójicamente, este modelo de romanticismo, con sus versos y su personalidad, con su emocionada y suave voz, es seguramente el que más se acerca al tango (sólo que no al de ese momento, sino a una modalidad de tango

José Betinoti

que vendrá, la del tango-canción).

Esa voz clara, dulce, estaba forjada para expresiones íntimas, para la temática que finalmente Betínoti adoptó Había además un dejo porteño en su modo de decir, una modalidad que no participa ni de lo criollo ni de lo español, como ocurre en otros artistas de su época.

En el proceso del tango, Betinoti tuvo mucha influencia, porque no sólo dio pautas para los cantores, sino que preparó a un auditorio popular que primero lo idolatró a él y repitió después sus temas.

Recordemos que Ignacio Corsini se inicia como cantor criollo, lleno de admiración por Betínoti (quien le dedica la canción *No sé por qué me engañó*), con una voz y un estilo que hacen evidente esa admiración, hasta que adquiere su propia personalidad.

Carlos Gardel forma su primer repertorio criollo con *Pobre mí madre querida* (Betinoti), *El sueño* (Cepeda), *Heroico Paysandú* (Ezeíza), *El carretero* (De Nava) *El pangaré* (De María) y otras composiciones similares de distintos autores, entre ellas algunas firmadas por el propio Gardel con Razzano, como *El moro, El tirador plateado, Brisas, El cardo azul, Pobre madre,* etc.

Tanto Gardel como Corsini, sin proponérselo, ensayaron la expresión de distintos sentimientos en la canción criolla, que luego pasarían con ellos al tango canción, marcando las reglas definitivas para interpretarlo.

El tango canción, a partir de *Mi noche triste, Flor de fango, Ivette y Margot,* marcará una etapa de decadencia del arte payadoril, que coincidirá con la desaparición de sus más altos exponentes.

Sin embargo, ni Gardel ni Corsini –tampoco Magaldi- se olvidarán de la figura del payador, que aparecerá mencionado en canciones criollas del repertorio de los tres, como *Santos Vega, El adiós de Gabino Ezeiza, La pena del payador,* y *El payador de San Telmo,* y en letras de tangos como *Mocosita, Duelo crio-*

llo, Callecita de mi barrio, La uruguayita Lucía, Berretín del payador, etc.

Voces femeninas en la difusión del tango

En los años iniciales del género chico español, adaptado a la modalidad porteña, los espectáculos presentados eran de muy corta duración, con argumentos simples y de comprensión sencilla, con el agregado -como mínimo- de alguna pieza musical atractiva.

Esa era la estructura básica de la zarzuela y del varieté, pero, como se ha indicado con sentido crítico, rápidamente achabacanado y pervertido respecto de sus orígenes.. A tal grado se dio semejante declinación, que este breve género popular llegó a considerarse como una expresión ínfima del teatro.

A pesar de las manifestaciones denigratorias, en Buenos Aires el éxito fue casi inmediato, de manera que los decorados vistosos eran mutables, como los eran los vestuarios femeninos, con mucho de circo y poco de teatro.

José Benito Bianquet, "El cachafaz"

Como ejemplo de lo dicho sirve un aviso de 1914, presentado por el Biógrafo Lidia, del barrio de San Telmo, en el que se destaca que se garantizaba, durante los espectáculos, el respeto por la moral y las buenas costumbres.

Además, se prohibía presenciar el espectáculo con el sombrero puesto, fumar y era obligación mantener la compostura necesaria. Quien no acatara estas disposiciones se haría pasible de ser desalojado con la fuerza pública, de ser necesario.

En cuanto a los precios, eran muy accesibles pues estaban fijados para las secciones matinée y vermouth, en platea, en $ 0.10.

Las otras salas en las que se cultivaba el mismo género aseguraban que se trataba de espectáculos instructivos, éticos y alegres, y llegaban a autocalificarse como custodios de la moral imperante en la época.

A pesar de ello, Bosch ha de ser muy negativo en la consideración de esas presentaciones populares y del público concurrente a ellas.

Entre las atracciones presentadas en algunos espectáculos figuraba la "danza apache", de carácter eminentemente acrobático. Todavía no se había adueñado de todos los tablados la indumentaria de calle que caracterizaría a los bailarines con posterioridad, ya que para 1915 las parejas en los bailes de los salones representados lo hacían de seda y frac.

En febrero de 1917, un concurso de parejas de baile organizado en el Teatro Colón fue animado por las orquestas de Francisco Canaro y Roberto Firpo –reunidas como una sola-, cuyos músicos vistieron ropa oscura y camisa blanca.

Muchos de los bailarines en esa oportunidad habían aprendido con las indicaciones de los maestros Castro y Silva. A tanto llegó su renombre que Carlos Gardel, al terminar sus compromisos cinematográficos en Francia, recurrió a perfeccionar con ellos su técnica de baile.

Un competidor muy serio de José Benito Bianquet, el Cachafaz –al que se considera uno de los más eminentes bailarines de tango- fue en esos años Bernardo Undarz, apodado El Mocho, que hizo del tango un baile muy propio, con espectaculares figuras.

La difusión del varieté despertó emulación entre quienes lo practicaban y quienes querían hacerlo.

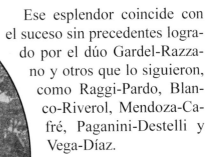

Pepita Avellaneda

Ese esplendor coincide con el suceso sin precedentes logrado por el dúo Gardel-Razzano y otros que lo siguieron, como Raggi-Pardo, Blanco-Riverol, Mendoza-Cafré, Paganini-Destelli y Vega-Díaz.

También tuvieron su minuto de éxito cantores solistas como Mario Pardo, Francisco Martino, Martín Castro, Arturo Calderilla, Francisco N. Bianco (Pancho Cuevas), y Telésforo del Campo, descollante en el cante jondo.

Todos estos intérpretes compartieron escenarios con los payadores, muchos de ellos afincados ya en los centros urbanos más importantes -Buenos Aires, Rosario, Córdoba-, y enfrentando la declinación que implicaban la evolución del gusto popular y las desapariciones físicas.

Fueron los años en que el viejo e incómodo barracón conocido como El Cosmopolita sirvió de escenario para las presentaciones de Dora Miramar, Nerea Cañizares, Pepita Avellaneda, Linda Thelma -figuras que en su mayoría habían pasado ya de su plenitud-, acompañadas por otras figuras femeninas de las que sólo permanecen los sobrenombres: La Zorzalito, La Gauchita, La Paisana, Marta del Tuyú, y otras que escapan a esta enunciación apenas indicativa y, desde luego, no exhaustiva.

Pocos años después ese lugar ha de ser refugio de espectáculos de color verde subido, cuando no escatológico, según indican las crónicas periodísticas. De este período quedan los nombres de las hermanas Lolita y Angélica Solsona.

Para la gente del ambiente sitios como el Cosmopolita y el Roma eran *desplumaderos*, léase locales en donde quitarle con facilidad el dinero a la inocente concurrencia.

El segundo, tras reformas imprescindibles, reabrió sus puertas con distintos nombres, sin que ello le otorgara el el necesario apoyo popular, lo cual obligó a su cierre definitivo.

El auge sostenido del varieté lo llevó hasta los prostíbulos de extramuros, con las consiguientes adaptaciones. En ellos recalaron figuras ya gastadas y otras que aspiraban a obtener cartel.

Hacia 1916 el Teatro Scala constituía, junto con el Casino, el Majestic y el Royal, el cuarteto más importante en la corriente del varieté, y en él se inició el dúo Gardel-Razzano.

Sus presentaciones se intercalaron con números de cakewalk, traviesos e insinuantes, y con el menos desembozados turkey-trot, pero todos envueltos en los bien torneados cuerpos de las chicas bailarinas, quienes, con breves maillots, más sugerían que mostraban, de conformidad con el estilo de la época.

Eran tiempos en que el tango aún no se había definido como urbano, y mostraba su esencia rural en títulos como *El pangaré, A mi morocha, El moro, Brisas, El sol del 25* y muchos otros.

Manolita Poli

El pangaré, grabado en solo por Gardel, tiene letra netamente nativa de la pampa húmeda: En un pingo pangaré,/ con un freno coscojero,/ buen herraje y buen apero,/ en dirección a Pigüé,/ va el paisano Cruz Montiel/ orillando una cañada,/ con camisa bien planchada,/ un clavel rojo retinto,/ puñal de plata en el cinto/ y bota fuer-te y lustrada.

En esa presentación, en la que los acompañó el guitarrista José Ricardo, dentro del repertorio estuvieron también presentes tangos como *De vuelta al bulín* y *Milonguita*.

La fama del dúo se acrecentó al grabar para varios sellos, compitiendo con los registros de Lola Membrives y Francisco N. Bianco, Pancho Cuevas, así como con muchos payadores de prestigio, que revitalizaron la música nativa.

Respecto a *Mi Noche Triste*, cantado por Gardel en 1917, es necesario recordar que la actriz y cantante Manolita Poli, en el sainete *Los dientes del perro*, le dio proyección popular, acrecentada por la compañía Muiño-Alippi en 1918, al ofrecerlo en las 500 representaciones de la obra en el viejo teatro Buenos Aires.

El éxito logrado por el género chico español transformado en el género chico porteño, estuvo basado principalmente en la labor de las tonadilleras, cupletistas y bailarinas que invadieron los escenarios en verdadero aluvión.

En él convivieron viejas y consagradas figuras con iniciaciones anónimas que no habrían de dejar señales para la posteridad. La gran maestra a la distancia fue La Goya (Aurora Jauffret), verdadera reina de la tonadilla.

Las tonadilleras en general, y las de Buenos Aires en especial, se distinguieron por las ropas efectistas, que tenían la particularidad de poder ser modificadas con mucha rapidez, para adaptarlas a las cambiantes circunstancias de cada número, pues los ambientes variaban desde el del patio andaluz hasta el del conventillo barrial.

Por ello, para la mayoría del público concurrente, buena parte de la atracción residió en la vistosidad del ropaje y el decorado.

Ecos de ese modo de sentir son las páginas de *Ultima Hora, El Telégrafo, Libre Palabra, Bambalinas* y otras publicaciones relacionadas con el teatro popular.

Las figuras femeninas, más allá de otras diferencias en las ropas, se uniformaron con el "mantón de Manila" (originado en realidad, en telares chinos de Cantón y vendido a comerciantes en la capital filipina, de donde le vino la denominación).

También ellas se igualaron al atribuirse la propiedad exclusiva de determinados maestros, como ocurrió con Manuel Moreno Manella, quien, radicado en Buenos Aires, impartió lecciones a Teresita Zazá y a Mercedes Alfonso.

Auténtica estrella del género fue Antonia Mercé, La Argentina, nacida alrededor de 1890 muy cerca de Talcahuano y Sarmiento.

Lola Mambrives

Para fines del siglo XIX y principios del XX, el fuerte de los espectáculos populares lo dieron las tonadilleras. Según el mencionado Bosch, las tonadillas eran canciones copladas de carácter ligero y alegre, que en los entreactos de las comedias reemplazaban a los entremeses o formaban parte de ellos, interpretadas por actores o actrices, acompañados con guitarras.

Dentro del ambiente teatral de Buenos Aires hubo muchos compositores del género picaresco -caracterizado por la crítica como cuplés-, entre los que se destacó Angel Villoldo.

A él se deben *Cantar eterno*, considerado como la piedra angular del éxito de Gardel-Razzano, seguido por *La promesa, El cimarrón, La culpa vos la tuviste, Brisas camperas, No vayas a arrepentirte*, que son las más logradas.

También contribuyeron al enriquecimiento del género Adolfo R. Avilés, Evaristo Barrios, Manuel Iriarte. Gabriel Sigal, Juan Maglio, Nemesio Trejo, Roberto Firpo, Vicente Greco, Manuel Jovés, René Ruiz, Alberto Acuña, sin olvidar la prolífica producción de Gardel y de Razzano.

La creación de la tonadilla criolla se debe a Lola Membrives quien tras haber triunfado en España, hacia 1916, ya entre nosotros, tuvo éxitos como *El poncho del olvido, El telefón, La cojita del lugar.*

Casi no hace falta señalar que el recuerdo de Lola Membrives se asocia más a su personalidad de actriz teatral que a esta primera y gran etapa como cantante, y a que fue la intérprete por excelencia de las creaciones benaventinas.

En 1917 ella incorporó a su repertorio el tango de Francisco Canaro y Juan A. Caruso, *Cara Sucia.*

Sus éxitos teatrales no le fueron en zaga a los logrados en las grabaciones, ya que año a año lograba batir récords de ventas.

Son de su creación interpretativa La Pícara Neurasténica, *de Rincón,* La Marquesita Tímida, *de Tenés, y* La Promesa, *de Villoldo.*

Un logro espectacular resultó su interpretación del tango milonga de Iriarte y De Bassi, La Chismosa, *y* El Palco del Colón, *de Cruz Ferrer y De Bassi.*

En forma paralela tuvieron su espacio - escénico las bailarinas y cancionistas como La Bella Otero, de nombre civil Agustina del Carmen Carolina Otero e Iglesias, cuya presentación en Teatro Nacional, el 29 de agosto de 1906, fue todo un acontecimiento social. Tanto, que sacudió las redacciones, porque no hubo una sola que no comentara favorablemente su presentación por su belleza física, su gracia actoral, la calidez o la calidad vocal.

Linda Thelma

"En los palcos más próximos al escenario se habían agrupado, formando legión de honor, personas principales del país, enfracadas, encorbatadas, y rizadas para la célebre artista" ... "Se fueron sucediendo las aclamaciones, dirigidas por los caballeros principales de los palcos de honor, mientras la grande artista se despachaba con una genial pantomima; pero cuando llegó el momento del baile, la cosa marchó a toda máquina hacia el delirio; *la belle* bailó unas seguidillas también geniales, cosa nunca vista, y llegó en su adorable magnificencia a echarles a los encorbatados caballeros principales unas miradas que los volvieron locos de felicidad" ... "Esto provocó que rompieran a aplaudir como fieras y fue la apoteosis ..."

Otro nombre importante en la difusión del tango en todas las clases sociales, es el de Linda Thelma. Ella remozó las obras de De María, García Velloso, García Lalande o Payá, con el agregado de cortes y quebradas y una personal acentuación de los pasajes amilongados.

Imperio Argentina

El nombre verdadero de Linda Thelma era Ermelinda Spinelli, y había nacido en Italia en 1884. Radicada en la Argentina realizó giras por el Interior y cubrió importante temporadas acompañando a Guillermo Battaglia, Atilio Supparo, Enrique Muiño y otros actores de *primo cartello*.

En 1910 integró un excepcional elenco en el Teatro Apolo. Ese año se estrenaron *El Barrio de las Ranas, 1810* y *Eclipse de sol*.

El repertorio de su canciones fue muy amplio, ya que abarcó tangos, cifras, tristes, milongas, aires camperos, estilos, vidalitas.

En cada una de ellas puso la gracia y la nota justas, de modo que las realzó y las hizo distintas a otras interpretaciones (falleció en el Hospital Rawson, de Buenos Aires, a fines de julio de 1939).

De la enorme pléyade de tonadilleras y cupletistas que cantó al público argentino, debe recordarse a Mercedes Alonso, María Blasco, Antonia Costa, Paquita Escribano, Angeles de Granada, Adelita Lulú, Delia Rodríguez, Luisa Vila, Ofelia de Aragón, "La Maja" Pepita, Lucy Clory, "La Crisantema", "La Cuyanita". Eva de Lys, "La Estrellita", "La Colombina", "La Gitalú", las seis hermanas Gómez, Conchita Ibáñez, "La Pastora", "La Porteña", "La Yolanda", "La Pequeña Fornarina" y "La Petit Imperio" -consagrada más tarde internacionalmente como Imperio Argentina (quedan sin mencionar por lo menos medio millar de nombres femeninos de cantantes populares porteñas).

Carlos Gardel

Ignacio Corsini

Voces masculinas

En esta misma época alcanzaron su plenitud los cantores nativistas o camperos, que incluían en su repertorio cifras, estilos, tristes, milongas, vidalitas, tonadas, chacareras, cuecas, triunfos, valses criollos, valses europeos y algunos tangos.

Agustín Magaldi

Estos cantores adecuaban lo cantado a la concurrencia que los escuchaba y a medida que esa concurrencia se fue haciendo urbana, aumentaron los tangos, hasta ser preponderantes en sus repertorios.

Así ocurrió en los casos de Agustín Magaldi, Ignacio Corsini y Gardel-Razzano, ya en especial hacia 1915.

Lo que hoy es posible llamar cantores nativistas o camperos, son, en un intento de síntesis, los payadores como Gabino Ezeiza, José Betinoti, Arturo De Nava, Juan P. López, Anibal Riú, Elías Regules, Pedro Noda, Alfredo y Julio Navarrine, etc.

Detrás de estos cantores nativistas llegaron los cantores de tango, como lo fueron Carlos Gardel, Agustín Magaldi, Ignacio Corsini y Carlos Marambio Catán, en quienes –como quedó dicho- también se registra una primera etapa de nativismo.

Esta fase de los cantores como principales figuras duró hasta 1925, en que salvo contadas excepciones, la voz masculina comenzó a ser relegada a funciones de menor jerarquía, dado que la orquesta tocaba para permitir el baile y se estimaba que la letra vocalizada restaba importancia el papel del conjunto musical y desconcentraba a los bailarines.

Por ello, muchas de las composiciones desde 1925 hasta 1940 tuvieron letras muy breves, y las que superaban la docena de versos raramente se incluían en los repertorios o se cantaban en su totalidad.

Por esta modalidad de cantar sólo letras cortas –o de hacerlo fragmentariamente- se dio en llamar *estribillistas* a la mayoría de aquellos cantores.

Roberto Díaz

Y en verdad lo eran, ya que se limitaban a entonar una mínima parte de la letra, casi siempre precisamente el estribillo, expresión o cláusula en verso que se repite con frecuencia.

En esta etapa las voces de los cantores quedaron en segundo plano sonoro, como complemento de la música y el baile. Para designar este papel secundario, se utilizaron distintos términos, como *vocalista, cancionista, estribillista* y aun *chansonnier.*

Fueron muchos los cancionistas o estribillistas que tuvieron su época de oro en la evolución del tango y para designarlos hay que empezar por Roberto Díaz, que apareció actuando en el conjunto de Francisco Canaro a mediados de la década de 1920.

Entre las numerosas grabaciones que hicieron juntos merece destacarse *Así es el Mundo,* de Rafael, hermano del director. Luego Díaz siguió en los conjuntos de Julio De Caro, La Orquesta Típica Victor, La Orquesta Típica Porteña, Carlos Marcucci, Los Provincianos, Roberto Firpo y Osvaldo Fresedo, y terminó su vida profesional en Chile.

Otro estribillista, otro Díaz, de nombre Fernando, dejó 170 grabaciones con la orquesta dirigida por Francisco Lomuto. También se presentó con Juan Maglio y la Orquesta Típica Victor.

Un tercer Díaz fue Luis, que estuvo en varias orquestas, de las que se destacan las de Julio De Caro, Cayetano Puglisi, Pedro Maffia, Osvaldo Fresedo y Roberto Firpo.

Un párrafo aparte merece Charlo -seudónimo de Juan Carlos Pérez de la Riestra, pianista, compositor y can-

Charlo

tor que figura entre los máximos intérpretes del tango de todas las épocas, y que puede ser considerado como uno de los más destacados estribillistas.

Charlo ostenta 1080 grabaciones, excepcionales cifras de las que no pocos registros corresponden a intervenciones cortas, muy propias de los estribillistas de los años indicados.

Su discografía se inicia en 1925 en el sello Electra, a-compañado de guitarras. Lo mismo hace en RCA Victor, siem-pre en el citado año, para continuar entre 1928 y 1930 en el sello Odeón, con las orquestas de Francisco Canaro, Francisco Lo-muto y con acompañamiento de guitarras. En 1931 graba nue-vamente en Victor, tanto con guitarras como con la Orquesta Tí-pica Victor y la de Adolfo Carabelli.

Aun aligerando las citas, corresponde nombrar a Francisco Fiorentino, Ernesto Famá, Roberto Ray, Roberto Rodríguez Lesende, Juan Carlos Thorry, Roberto Maida, Príncipe Azul y Carlos Lafuente -y dejar constancia de la omisión de no menos de otros 30 nombres importantes.

Las décadas del 1920 y 1930, al mismo tiempo que el tango, presentan entre las músicas populares al jazz y a las composiciones melódicas, que dieron oportunidad para que los vocalistas dijeran sus letras en otros idiomas, especialmente en inglés.

Esas agrupaciones musicales -*bands* o bandas- eran segui-das por el prestigio de sus directores, sus cantores o por la indi-cación explícita de ser bailables. Los vocalistas, a su vez, fueron presentados como *crooners,* y en el caso de las voces femeninas, como *ladies crooners.*

Cambios en la localización tanguera

A medida que el tango fue ocupando locales de la clase media, alejándose de los prostíbulos, en un rebote singular tuvo, aun sin abandonarlos del todo, dos centros o ejes de desarrollo: la Recoleta y la Boca.

En este último barrio, en el corto rectángulo formado por las calles Suárez, Gaboto, Pinzón y Necochea, se concentraron los cafetines, en cuyos tablados, a veces temblequeantes, se instalaban los dúos, tríos o cuartetos que brindaban tangos.

Terceto Firpo

En esos lugares no se lo bailaba, por falta de espacio y comodidad, como se deduce del contenido de varias memorias.

Por su intermedio es posible reconstruir la formación del un trío, por lo menos: Francisco Canaro en violín; Samuel Castriota en piano y Vicente Loduca en bandoneón.

Entre estos cafés resulta posible mencionar los siguientes: El Griego, Teodoro, La Marina, La Turca, El Chino, El Argentino, La Taquera, La Luna, El Café de la Popular, Las Flores.

En ellos, a principios del siglo XX dominaron el ambiente musical los tres instrumentos que se pueden considerar básicos de la orquesta típica; piano, violín y bandoneón.

La persistencia de la guitarra se mantuvo mientras el piano no fue incorporado por los dueños de los locales. Su precio y la musicalidad lograda al ejecutarlo, fue sinónimo de estabilidad laboral, pues era posible atraer clientela con un buen pianista, lo cual no era posible conseguir con otro instrumento.

En los locales donde el baile era el gran incentivo, predominó la variación de instrumentos, ya que en ellos se asentó la supremacía de la música bailable sobre la música para escuchar.

Un nuevo rebote, ahora en sentido inverso. Desde la Boca, el tango pasó a los cafés del Centro, hecho verificado hacia 1910, y cuya primera consecuencia fue el desplazamiento de las orquestas de señoritas que brindaban música europea. La segunda: estas mismas orquestas de señoritas cambiaron sus repertorios europeos por tangos.

Cuarteto "Pacho", Juan Maglio.

Así, tuvieron su auge casi inmediato y avasallador La Paloma, Venturita, La Buseca -de Avellaneda- Maratón, El Estribo, Fratinola, Gariboto, Castilla y tantos otros que escapan a esta mención, mientras que en el centro los lugares más importantes eran los dos ubicados en la calle Rodríguez Peña, entre Corrientes y la ex Cangallo (actual Perón).

Desde esa fecha del Centenario de Mayo o en sus cercanías, el tango, como música popular, llegó a afirmarse en la estructura de los conjuntos interpretativos, superando la etapa de los solistas y de las pequeñas agrupaciones, para adentrarse muy sólidamente en la de los conjuntos que necesitaban una dirección muy clara y una complementación interna.

También en esta fase aparecieron con mucha mayor nitidez las características urbanas de las músicas brindadas al público.

Por ello, en los repertorios disminuyeron las composiciones con temas camperos, a la vez que aumentaron en igual proporción los de la ciudad y sus circunstancias.

Esos cambios quedaron expresados en las letras, que a-compañaron la evolución musical, porque en ellas desaparecieron progresivamente los caminos de la pampa, la tranquera, la enunciación de los pelajes equinos y el ombú, que cedieron el centro de la escena a las calles de barro, los tapiales y los faroles mortecinos.

Este fue el tiempo inicial de los dos bandoneones, los dos violines, el piano y el contrabajo, lo cual no significó la desaparición de la guitarra ni de la flauta, pero sí el adiós de la batería y del peine con el papel de seda.

Al conjunto de los seis instrumentos indicados se lo llamó popularmente sexteto típico criollo.

Esta formación contó de inmediato con la aprobación del público, por la sonoridad lograda, y se afirmó hasta convertirse en la orquesta típica definitiva, autodepurada al eliminar los instrumentos que no fueran bandoneón, violín y piano, y al aumentar el número de los dos primeros e incorporar el contrabajo.

Llegó así a ser octeto, sin sacrificar por ello la esencia del trío instrumental primitivo, a la vez que mantuvo en muchos casos la conformación de sexteto, con dos violines, dos bandoneones, piano y contrabajo.

Sexteto Julio De Caro

Dentro de cada sexteto se iniciaron las diferencias musicales consistentes en dar preponderancia a uno o dos de los instrumentos, como conductores o complementarios.

Otra variante consistió en duetos entre los dos bandoneones o violines, siguiendo las directivas del piano. Las alternativas fueron y siguen siendo muchas, y se complementaron no pocas veces con variaciones de los pentagramas originales, de bandoneón, violín o piano.

Estas diferencias iniciales se han de plasmar con posterioridad en los llamados *estilos,* que van a caracterizar a los sextetos. De allí que, desde entonces hasta la actualidad, se habla del *estilo* Canaro, Troilo, Firpo, D´Arienzo, De Caro, Piazzolla, Fresedo, etc. etc.

Influencia europea

En los tangos de esa segunda generación intervinieron inmigrantes radicados y vinculados a la vida teatral, en la que incorporaron el tango a composiciones del género chico español o criollo, como fueron Francisco Payá, José Carrillero, Eduardo García Lalande o Gabriel Diez.

Ya en la primera década del siglo XX el tango había entrado silenciosamente en muchos hogares de la llamada clase alta porteña.

Por ello, el barón Antonio de Marchi invitó al Palais de Glace a una reunión para conocer la opinión que esa música les merecía a los concurrentes.

La reunión se programó como concurso de tango, según lo indica el diario Crítica del 24 de noviembre de 1913.

Barón Antonio de Marchi

La invitación fue cursada a los miembros más destacados de la burguesía porteña. También concurrieron personajes de la farándula, de la música y del baile, como Enrique Saborido. José Espósito, Cesar Ratti, Olinda Bozán y José Benito Bianquet.

Fue precisamente a partir de 1913 que adquirieron mayor importancia los concursos, pues una importante parte de la alta sociedad iba aceptando al tango como una música normal y cotidiana.

El apoyo a estas convocatorias siguió en aumento. Así, en forma progresiva, la música condenada éticamente, dejó de ser tan condenable

Esta modalidad de fomentar y difundir el tango tuvo cierta perdurabilidad, aun con discontinuidades.

Durante la década del '30 hubo diversas iniciativas, auspiciadas comercialmente por importantes empresas, para concursar con composiciones musicales y de letras en distintas radios, y se multiplicaron entonces las oportunidades de intervenir.

Con la llegada de la televisión, se volvió a reeditar el procedimiento, con otras modalidades, pero manteniendo la estructura básica e inicial para lograr el mismo objetivo.

El tango canción fue la segunda generación en la producción tanguera. Reemplazó a los temas producidos en la época inicial, y presentó en sus letras algunos personajes criollos que se iban despojando de las vestimentas gauchas para cambiar, de manera lenta pero definitiva, la corralera por el saco y el chiripá y las bombachas por el el pantalón.

También coincidió con el auge de las agrupaciones musicales -dúos, tríos o cuartetos-, entre las que se destacaron las de Tito Roccatagliata, Augusto P. Berto, Eduardo Arolas, Graciano De Leone, Genaro Sposito, Félix Cammarano, Juan Maglio, Domingo Salerno y Federico Lafemina.

Estos conjuntos se presentaron en lugares muy típicos en los barrios o el Centro: el Almacén del Vasquito Cabezón, T.V.O., el Bar Iglesias, el Café Garibotto, La Marina, el Argentino, el Café de Los Loros, El Estribo, el Café de Don Pepe.

Con el tiempo se fueron puliendo y reestructurando hasta formar la base considerada fundamental de la llamada Guardia Vieja -bandoneón, flauta y guitarra.

Algunos de los nombres más trascendentes de los tangos de esta etapa son: *A la criolla, Bajo Belgrano,*

Aparcero, El estribo, El talar, Mate amargo, Pinta orillera, Gallo ciego, La morocha, Sargento Cabral, Tierrita, El cuatrero, Recuerdos de la Pampa y La criolla.

Algunas formaciones iniciales

Dúo de los hermanos Arturo y Luis Bernstein: bandoneón y guitarra, respectivamente, con presentaciones en el café El Estribo, del barrio de San Cristóbal.

Eduardo Arolas

Trío inicial de Juan Maglio, Pacho: Maglio en bandoneón, Luciano Ríos en guitarra y Julián Urdapilleta en violín. Esta formación se presentaba en el Café El Vasco, a fines del siglo XIX.

Trío de Urdapilleta: éste en violón, Luciano Ríos en guitarra y Benito Masset en flauta. Actuaba en el Velódromo Nacional, en los mismos años.

Trío de Francisco Canaro: él en violín, Domingo Salerno en guitarra y Augusto P. Berto en bandoneón. Se presentaba en el Café Venturita, de Villa Crespo.

Trío de Genaro Sposito: el Tano en bandoneón, Harold Philips en piano y Al-cides Palavecino en violín. Actuó en el Café La Marina de la Boca.

Trío de Eduardo Arolas: el Tigre en bandoneón, Eduardo Ponzio en violín y Leopoldo Thompson en guitarra. Hacía sus presentaciones en el Café de la Turca.

Trío de Ricardo González: Mochila en bandoneón, Eduardo Ponzio en violín y Leopoldo Thompson en guitarra, con presentaciones en el Café Argentino.

Cuarteto de Juan Carlos Bazán: el propìo Bazán en clarinete, Félix Riglos, en flauta, Eusebio Aspiazu en guitarra y Ernesto Ponzio en violín. Realizaba sus espectáculos en La Cancha de Rosendo.

Cuarteto de Eduardo Arolas (autodenominado orquesta). Sus músicos eran: Eduardo Arolas en bandoneón, Tito Roccatagliata en piano, Juan Astudillo en flauta y Emilio Fernández en guitarra. Este conjunto representa verdaderamente un acercamiento a la orquesta criolla, que se ha de llamar en forma sucesiva, orquesta típica criolla, para terminar siendo simplemente orquesta típica.

Augusto P. Berto

Cuarteto, también llamado orquesta, de Vicente Greco, quien lo dirigía desde el bandoneón. Lo secundaban por Francisco Canaro en violín, Domingo Greco en guitarra y Vicente Pecci en flauta.

Cuarteto orquestal de Augusto P. Berto. Eran sus músicos Berto en bandoneón, Peregrino Paulos en violín, Luis Teisseire en flauta y José Sassone en piano.

Juan Maglio

El dúo de los hermanos Bernstein se transformó en cuarteto al agregar a Vicente Pepe en violín y a Vicente Pita en flauta. Se presentó entre otros lugares, en el famoso Café La Marina.

Cuarteto Eduardo Arolas

Orquesta Genaro Espósito

Orquesta Típica Fráncisco Pracánico

Quinteto Berto

Otro cuarteto que ha perdurado en la memoria fue el que se presentó en el Cabaret la Yeta. Estuvo integrado por Harold Philips, en piano, Félix Rodríguez en bandoneón, Alberto Galotti como guitarrista y el violín a cargo de Federico Lafemina.

Durante muchos años perduraron los tríos, que se presentaban casi siempre en cafés barriales. Es posible mencionar al trío que actuó en el café ubicado en Necochea y Olavarría, en el Paulín, en El Maratón, en el Café del Palais de Glace, el de Ricardo Brignolo, el de Osvaldo Fresedo, etc.

Ya para la segunda mitad de la década inicial del siglo XX disminuyen los dúos y tríos, a la vez que aumentan en proporción inversa los cuartetos, que debieron a su vez tratar de compensar la proliferación de los sextetos.

Guardia Vieja

Fue necesario un proceso de adaptación, como también de estabilidad laboral, para que el piano integrara el trío básico (piano, bandoneón y violín), desplazando a la guitarra, de la misma manera en que fueron desplazados la flauta y el clarinete.

No se trató de un acontecer rápido ni universal, ya que no había suficiente cantidad de pianistas ni de bandoneonistas capacitados musicalmente, que conocieran una apreciable cantidad de composiciones, y tuviesen crédito musical ante los propietarios de los locales, a pesar de ser eximios intérpretes.

Hasta 1899 no hay registro de un trío con bandoneón El primero fue el ya mencionado de Juan Maglio. Y de a poco se llegó a la época en que el piano se integró en los tríos o cuartetos. Locales como el Tarana -luego Hansen- o El Velódromo dieron estabilidad laboral y con ella, el tango fue ganando aceptación.

Por su parte, el piano y el bandoneón, con el tiempo, desplazaron, como se dijo, a la guitarra, la flauta y el clarinete, que opusieron seria resistencia. Tanto que hasta bien entrada la década de 1930, todavía hubo tríos, cuartetos y orquestas que los contaban como instrumentos permanentes.

Otros locales barriales con piano fueron el Café Royal, El Argentino, Castilla, el Café de Garay y Rincón -cuyo nombre se ha olvidado-, El Garibotto, y algunos más, mientras en el Centro, el primero en tener piano fue el Iglesias, seguido por el Marzzotto, el Nacional, el Guaraní, el Gaulois, el Parque, El Africano, El Germinal, entre otros.

En los barrios se destacaron locales como La Cueva del Chancho, El Atlántico, El Benigno, el A.B.C., Boedo, El Protegido o el Venturita.

Entre los salones de baile más recordados se encuentran, además de los siempre mencionados de la calle Rodríguez Peña o los correspondientes a colectividades extranjeras, Nueva Granada, Palermo Palace, San José, Mariano Moreno, 20 de Septiembre, etc.

A ellos cabe agregar los cabarets céntricos que proliferaron siguiendo la modalidad francesa.

Los músicos de esa época que tendrán trascendencia en la historia del tango son David Roccatagliata, Angel Villoldo, Ernesto Ponzio, Juan C. Bazán, Augusto P. Berto, Genaro Spósito, Luis Teisseire, Samuel Castriota, Ricardo González, Anselmo Aieta, Juan Maglio, Alejandro Scarpino, Vicente Greco, Domingo Santa Cruz, Arturo Bernstein, Carlos Posadas, Alberico Spatola, Ricardo Brignolo, Alfredo Bevilacqua, Vicente Loduca, Eduardo Arolas, Manuel Pizarro, José M. Bianchi, Pedro Polito, Francisco Famiglietti, Juan B. Deambroglio, Juan B. Guido, Alfredo De Franco, Gabriel Clausi, Cristóbal Ramos, Armando Blasco, Angel Martín, Rosendo Mendizábal, José Remondini, Alfredo Gobbi (padre), Osvaldo Fresedo, Pedro Maffia, Francisco Postiglione, Luis Pérez, Francisco Canaro, quienes consolidaron la trayectoria tanguística hasta 1930 y unos años más.

El aporte femenino estuvo a cargo de la esposa de Gobbi, Flora…, Paquita Bernardo, Aída Rioch, Pepita Avellaneda, Linda Thelma, Haydée Gagliano, Nélida Federico y Dorita Miramar, todas ellas verdaderas precursoras del tango en su etapa de asentamiento en la clase media baja.

La Guardia Vieja, como formación orquestal, termina más o menos en la década de 1930, pero no faltaron supérstites que continuaron con el mismo estilo.

Entre ellos se puede mencionar a Roberto Firpo (h) (piano, dos violines y bandoneón); Ciriaco Ortiz, con gran éxito en sus presentaciones y en las grabaciones, como lo hizo Adolfo Pérez, *Pocholo*, que grabó en Odeón, el cuarteto de Juan Carlos Cambón, Los Muchachos de Antes, cuarteto dirigido por Panchito Cao, que también se distinguió como intérprete de música de Centroamérica y jazz comercial.

Otras agrupaciones reiteraron la formación clásica del cuarteto típico, con lo cual lograron un sitio destacado en el gusto popular, especialmente en el provinciano.

Lugares predilectos de esas formaciones tradicionales fueron: Café La Buseca, de Avellaneda, Café 43, Café El Nacional, Café del Gallego Amor, Café Los Andes, Bar Domínguez, Wester Bar del Once, Café Paulín, Circo Fontanella, Café La Nación, Café Ferro, de Avellaneda, Glorieta El Tapón, Café El Capuchino, Cine Cóndor, Café Buen Gusto y Café El Dante.

Formaciones que han hecho historia

En una rápida mirada a los años que van desde 1915 hasta 1925, es posible encontrar a la orquesta de Francisco Canaro, integrada por Canaro y Eduardo Ponzio en violín, Osvaldo Fresedo y Juan Canaro en bandoneones, José Martínez en piano y Leopoldo Thompson en contrabajo. Este conjunto actuó en cabarets y salones de baile.

En el Luna Park, otra orquesta reunida para los carnavales se integró con Luis Bernstein en contrabajo, Rafael Iriarte en guitarra, Vicente Sassano y Francisco Franco en violines, José Servidio, Anselmo Aieta y Carlos Marcucci en bandoneones.

En varios cabarets y cafés céntricos se presentó la orquesta de Eduardo Arolas, acompañado por Manuel Pizarro en bandoneones, Julio De Caro y Rafael Tuegols en violines, Roberto

Goyeneche en piano y Luis Bernstein en contrabajo.

Por su parte, cuando Osvaldo Fresedo organizó su primera orquesta para presentarse en el Cabaret Casino Pigall, la estructuró con él en bandoneón, Julio De Caro y Rafael Rinaldo en violines, José M. Rizzuti en piano y Hugo Baralis en contrabajo.

Otra orquesta importante de esa época fue la de Roberto Firpo, compuesta por José Servidio, Pedro Maffia en bandoneones, Adolfo Muzzi, Cayetano Puglisi, Octavio Scaglione en violines, José Galarza en flauta, Roberto Firpo en piano y Luis Cosenza en armonio.

Orquesta Francisco Canaro

A su vez, cuando Julio De Caro tuvo su primera orquesta propia, la formó con Lorenzo Olivari, Osvaldo Pessina. José Aimovich y Juan Pindeca para que lo acompañaran en violines. Los bandoneones los confió a Pedro Maffia, Enrique Pollet, Luis Petrucelli, Ernesto Bianchi, Ricardo Brignolo y Juan Guido. Roberto Goyeneche y José M. Rizzuti fueron los pianistas, y cerró la formación Olindo Sinibaldi, a cargo del contrabajo.

Algunas modificaciones se registran en la orquesta que De

Orquesta Osvaldo Fresedo

Caro organizó para los bailes de carnaval del año 1921. Aumentó el número de bandoneones y violines, posiblemente para alcanzar mayor sonoridad, teniendo en cuenta la algarabía de ese tipo de bailes, donde pitos y cornetas sonaban de continuo.

Por otra parte, causó verdadero impacto la orquesta que ese mismo año presentó Paquita Bernardo en el primitivo Café Domínguez. Ella en bandoneón, Alcides Palavecino y Elvino Vardaro en violines, Osvaldo Pugliese en piano y Miguel Loduca en flauta.

El sexteto de José Martínez, que se presentó en varios cabarets de la época, estaba integrado por Luis Petrucelli y Pedro Maffia en bandoneones, Antonio Buglione y Arturo Abruzzese en violines, Olindo Sinibaldi en contrabajo, mientras que el Director se desempeñaba en el piano.

Otro excelente sexteto fue el de Osvaldo Fresedo, ya que él y Alberto Rodríguez se desempeñaban en bandoneones, Manlio Francia y Tito Roccatagliata lo hacían en violines, Juan C. Cobián en piano y Leopoldo Thompson en contrabajo. Esta agrupación presentó las variantes de José M. Rizzuti y Hugo Baralis en piano y contrabajo, respectivamente.

Otros conceptos, otros enfoques

A medida que la Guardia Vieja se fue cerrando sobre sí

misma, comenzó a agotarse como posibilidad musical y coreográfica. Por eso, muchos músicos jóvenes que integraron los conjuntos tradicionales, intentaron nuevos rumbos musicales y, sin proponérselo, dieron lugar a lo que se ha dado en llamar la Guardia Joven.

En un intento muy ligero para enumerar a esos jóvenes, es posible indicar como mínimo a diez. Esta enumeración puede llegar a servir también para marcar la declinación definitiva de la Guardia Vieja.

Arranca la desvinculación en 1922 –por dar una fecha inicial estimativa-, con el conjunto dirigido por Osvaldo Fresedo, que dirigía un sexteto, formación clásica, puente de unión entre el cuarteto anterior y la orquesta, que va a dominar con posterioridad el panorama de la música porteña.

La influencia de Fresedo se hizo sentir de inmediato en otros conjuntos formados coetáneamente, pero que no han trascendido y por ello no han sido estudiados en profundidad.

Esa influencia se ha de mostrar luego de manera muy viva en Miguel Caló, (1907-1972) que a su vez la va a trasmitir musicalmente a Domingo Federico (1916-1985) y, aunque de modo menos arraigado, se apreciará también en Osmar Maderna, (1918-1951) que ha de mezclar equilibradamente al tango con música clásica y sutiles toques de jazz, provenientes especialmente de Gershwin.

Un innovador -en realidad un auténtico creador, contemporáneo de Fresedo, en quien influiría decisivamente- fue Julio De Caro, quien con su violín corneta y sus intentos de imponer en el gusto popular lo que se dio en llamar *el tango sinfónico* -con instrumentos de grandes orquestas y estructuras típicamente clásicas de la considerada *música culta*-, realizó un avance notable, por más que efímero.

Con su hermano Francisco

Julio De Caro con su violín corneta

renovó también la composición, ya que creó líneas melódicas de refinada elaboración y original enfoque, que superan el tiempo.

Carlos Di Sarli, "El señor del tango"

Después de De Caro corresponde indicar el nombre de Carlos Di Sarli, (1903-1960) quien desde el piano evolucionó dentro de una atemperada modernización, en la que consiguió armónica convivencia entre cierto aire criollista y un acento nuevo, particular, tanto en la composición como en la interpretación, jerárquicamente amilongada.

Es necesario volver a Julio De Caro, pues no sólo tuvo seguidores e imitadores, sino herederos. De ellos hay que mencionar a Osvaldo Pugliese, Alfredo Gobbi (h), Elvino Vardaro y Anibal Troilo.

En Gobbi se cristalizó la triple herencia de su padre, de Villoldo y de Di Sarli, quien a su vez tuvo como heredero directo y dilecto a Mario Demarco.

Otros herederos de De Caro, pero con matices o gradaciones diferenciales, pues también pusieron su propia creatividad, son Pedro Maffia, un verdadero maestro del bandoneón, Cayetano Puglisi, Agesilao Ferrazzano, Pedro Laurenz, reverdecido en las actuaciones antológicas de Lucio Demare.

Regresando por segunda vez a Julio De Caro, es necesario poner de relieve como su continuador y renovador, pero con perfiles propios -que mantienen la esencia del tango y de la concepción decariana- a Anibal Troilo.

Figura popular en la que convergen los más logrados intentos de la creación y la interpretación tanguìsticas, Troilo es un equilibrado núcleo de irradiación artística, como bandoneonista, director y compositor.

Después de enriquecer con sus propias concepciones la herencia recibida, Troilo la depositó en José Basso, en Orlando Goñi y, muy especialmente en Astor Piazzolla, por más que las cualidades de este último le han de permitir invertir la corriente, para convertirse en creador de una influencia musical decisiva, en cuanto a estructura y apertura de posibilidades sonoras.

Un músico en el que resulta difícil percibir influencias es Horacio Salgán. Virtuoso del piano, compositor personal, de refinada inspiración, en él se revitaliza la herencia afroporteña, sólo que actualizada al punto de ser casi irreconocible, salvo en los tiempos marcados, con leves ecos de machacantes tambores.

A su vez, Salgán y Piazzolla han influido profundamente en muchos músicos actuales, de los que se destacan los nombres de Atilio Stampone (1926-) y Leopoldo Federico (1927-2000).

Esa gran herencia innovadora se diversifica, sin quebrarse, en nombres como los de Francisco Canaro y Francisco Lomuto (1893-1950) y sus hermanos, que forman en ambos casos verdaderas dinastías musicales; Anselmo Aieta (1896-1964), y Juan D´Arienzo (1900-1976), que prolongó el ritmo marcado, casi monocorde, de la Guardia Vieja durante varios años, con el que atrapó el gusto popular. De allí que una inclaudicable legión de adeptos lo siguiera en cada presentación, especialmente en el cabaret Chantecler.

En la línea de D'Arienzo se debe mencionar a dos integrantes de su orquesta que posteriormente abrieron caminos propios: el pianista Rodolfo Biagi y el bandoneonista Héctor Varela (1914-1987) –ambos, además, directores de exitosos conjuntos orquestales.

Es justo destacar asimismo a dos pianistas como Alfredo de Angelis (1912-1992), cuya orquesta gozó de una excepcional popularidad -en especial gracias a la expresividad de sus cantores, entre los que descolló Carlos Dante-, y a Mariano Mores (1918-), de dilatada trayectoria -comenzada siendo apenas un adolescente en la orquesta de Francisco Canaro-, que ocupa un lugar de privilegio en la historia del tango, más que por su condición de ejecutante y director de orquesta, por sus magníficas creaciones musicales.

Por otra parte Francisco Canaro, que no llegó a ser nunca un gran músico, se destacó por su olfato de empresario, que le permitió montar espectáculos revisteriles, teatrales, radiales y cinematográficos, en una dimensión desusada para su época.

El cambio de Guardia en los cuarteles del tango, que según se dijo tiene su momento inicial a principios de la década del '20, coincide con un cambio sustancial en la manera de interpretar las notas escritas en los pentagramas.

Antes, en el período de la Guardia Vieja y en la etapa previa, cada músico se expresaba de acuerdo con su propio sentir musical, que muchas veces enriquecía y embellecía al pentagrama original, pero que como realización pecaba de anárquica.

Desde esa fecha en delante se fue imponiendo la programación de las orquestaciones para toda la composición o para ciertos pasajes de la misma.

Esa orquestación requirió la tarea de especialistas que adaptaran las composiciones a las verdaderas posibilidades de cada conjunto, sin importar la cantidad de músicos. Y esos fueron los arregladores.

Su tarea consistió muchas veces en hacer más destacable el sonido de ciertos instrumentos, en coincidencia casi siempre con el gusto del director.

Los nombres iniciales que más han trascendido son los de Argentino Galván y Héctor Artola.

A ellos se agregaron de manera sucesiva Ismael Spitalnik, Pascual Mamone, Máximo Mori, Julio Medovoy, Carlos García, Juan José Paz, a los que se deben sumar los de muchos directores de conjuntos que escribieron sus propias orquestaciones, como Anibal Troilo, Osvaldo Pugliese, Emilio Balcarce, Horacio Salgán, Leopoldo Federico, Héctor Stamponi, quienes, igual que los arregladores profesionales, realizaron autènticas creaciones sobre las piezas seleccionadas para su orquestación.

Cambios en el ritmo

El bandoneón, como instrumento eje o conductor de la música del tango, le fue quitando progresiva e irreversiblemente el ritmo veloz heredado de la milonga.

A ese resultado se llegó además por la integración paulatina de los cantores y la escasa ductilidad de muchos de los bailarines inexpertos que, en ciertos momentos, se agregaron masivamente (aspecto éste que prácticamente no ha sido tomado en consideración).

Realmente, no era fácil incorporar a los jóvenes como bailarines, ya que desconocían lo elemental de la coreografía tanguera. Y hubo dos maneras fundamentales de intentarlo: una, hacer más lento el ritmo; la otra, simplificar la coreografía.

También influyó, en no menor medida, el tiempo indispensable para que muchos de los músicos de fines del siglo XIX aprendieran la digitación necesaria o trataran de cursar estudios en conservatorios o academias.

Ese tiempo contribuyó a lentificar el ritmo bailable, y cuando se adquirió la digitación hábil y eficiente, se la utilizó para mejorar la musicalidad, y no para imprimir velocidad. Probablemente, esto originó en el tango, el nacimiento del llamado *bailar liso* o *sencillo*.

El mencionado proceso de adaptación y depuración consistió, además de eliminar o admitir instrumentos, en duplicar el número de algunos de ellos, como los bandoneones o los violines.

Por su parte, la guitarra fue relegada hasta desaparecer por completo de la orquesta. Con el tiempo, su lugar fue ocupado por el contrabajo. Esto se dio de manera muy marcada en las agrupaciones que tenían estabilidad laboral, ya que el contrabajo -

como el piano- no es precisamente un instrumento de cómodo traslado.

Los pasos elementales, agregados al ritmo cadencioso impreso por el bandoneón, dio a las parejas de bailarines de tangos el aspecto de seriedad que se ha malinterpretado como tristeza.

Ya para fines de la década inicial del siglo XX estaba formado y en plena difusión el llamado *sexteto típico*, constituido por dos bandoneones, dos violines, contrabajo y piano.

Roccatagliata, Delfino y Fresedo fueron contratados por la Victor para que en Camden, Estados Unidos, procedieran a grabar tangos.

Esas grabaciones aparecieron bajo el nombre de Orquesta Típica Select, y son verdaderas joyas de colección.

Entre las confiterías bailables de la década de 1920, es posible citar al Alvear Palace, L´Aiglon, del Gas o Harrods. Le seguían en orden de importancia social La Glorieta, Colón, Richmond de Florida y algunos otros locales.

Cafés y lugares para la historia

Un célebre bar en el Barrio de Villa Crespo fue el Café La Paloma. Estuvo situado al borde del Arroyo Maldonado y protagonizó una larga e ilustrativa historia anterior a la década del '40. Hoy una placa señala su ubicación, para los buscadores de recuerdos.

Este café tenía un palquito en el que actuaban los músicos, las vitroleras y algún poeta carente de otro lugar más propicio para decir sus versos.

En 1910, Juan Maglio se presentó con su cuarteto, integrado con José Bonano en violín, Luciano Ríos en guitarra y Carlos Macchi en flauta.

Por entonces Villa Crespo tenía varios lugares famosos, como el Café del Agua Sucia y la Confitería Pedigree.

Armenonville.
Fotografía de la época.

Partitura de "Armenonville"
de Juan Maglio

En el referido palquito de La Paloma, entre 1922 y 1924, se presentó Paquita Bernardo con su sexteto, dirigido por ella desde el bandoneón. A ese conjunto, ya casi una orquesta, se lo conoció como "El Sexteto Paquita".

En 1920 allí se estrenó el tango *Zorro Gris*, de Rafael Tuegols y Carlos Macchi, y éste estrenó a su vez un tango de Augusto P. Berto: *Maldonado*.

También en La Paloma se presentaron con bastante frecuencia los músicos que acompañaron al rengo Domingo Santa Cruz, gran bandoneonista. Ellos fueron Alcides Palavecino, en violín, Carlos Hernani Macchi en flauta y Juan Santa Cruz en piano y, ocasionalmente, en guitarra.

Otro lugar para recordar -por lo significativo que resultó para el tango-, de jerarquía superior a la de los cafés barriales, fue el Armenonville, sitio de gran categoría, tanto por el barrio en donde estaba ubicado como por el nivel de sus concurrentes.

Paquita Bernardo

En la inauguración, en 1911, actuó Vicente Greco. El Armenoville se demolió en 1925 por razones burocráticas, entre las que se adujo estética y seriedad.

Aníbal Troilo y Luis Sandrini en una escena del film "Los tres berretines".

Situado en Avenida Alvear y Tagle, tenía un salón de amplias dimensiones y un cuidado jardín con mesas y sillas. Al salón lo complementaban pequeños recintos reservados, donde se escuchaba música. Allí actuó en varias ocasiones el dúo Gardel-Razzano.

Era el lugar predilecto, en el verano, para la muchachada de clase socioeconómica elevada, que concurría al Pigalĺ en las temporadas invernales.

También se ha ganado un lugar en la historia el Palais de Glace, ubicado en Cerrito al 1070, que abrió sus puertas por iniciativa de Saborido, como academia de baile.

El tango enseñado y permitido era el tango liso.

Más adelante, por iniciativa de otro bailarín de apellido Cortinas, y contando con el apoyo de Saborido, se fue permitiendo el tango tal como era bailado en los barrios populares.

Según lo señala Ulises Petit de Murat, el lugar estuvo de

moda entre los adinerados y entre quienes se movían a su sombra, y obtenía buenas notas en la sección Sociales de los principales diarios capitalinos, algunos de los cuales contaban con cronistas como Benito Lynch.

En este salón se preparó el ambiente para la inciativa del barón de Marchi, cuando organizó el primer concurso de tango, con participación de la clase alta, de la ciudad de Buenos Aires.

Del Tarana y del Hansen es mucho lo que se ha dicho y fantaseado, por lo que corresponden unas pocas palabras sobre Juan Hansen.

Según indica el diario *Clarín,* en 1875 Hansen abrió un restaurante en el barrio de Palermo.

El lugar habilitado era una vieja construcción de mampostería con un amplio patio descubierto, rodeado de glorietas, donde se colocaban mesas de hierro, con tapas de mármol y sillas variadas.

La iluminación nocturna se lograba con muchos farolitos de colores, que agregaban encanto a la serenidad del lugar.

El Hansen, primitivo y mítico lugar del tango.

Después de la muerte de Hansen, ocurrida el 3 de abril de 1892, el lugar tuvo varios propietarios, pero siempre fue recordado como "el Hansen".

Gardel - Razzano

La mayor parte de su concurrencia estaba formada por ganaderos, bacanes, hombres del turf, compadritos y mujeres de vida ligera.

Se ha discutido si allí se bailó o no tango. En los años de Hansen el baile no estaba permitido, aunque sí la música. Luego, los otros propietarios permitieron música y baile.

El lugar convocó a los mejores músicos y cantores del tango, y no fueron pocas las noches que terminaron en escándalos descomunales, con la presencia obligada de la policía.

En esos lugares y otros que se omiten porque determinarían una enumeración excesivamente larga, se fue produciendo un fenómeno musical, acompañado por otro referido a la letras y un tercero que comprendía a la coreografía tanguera.

Este fenómeno coincide casi a la perfección con la consolidación de la clase media, que ya había aceptado y adoptado al tango como música propia, pero no para desplantes repentistas y menos para efectos más visuales que musicales.

El ritmo apropiado a las reuniones sociales o a las celebraciones familiares debía ser más pausado, melodioso, sin margen para las expresiones personales aisladas, ya que las parejas bailaban casi repitiendo los mismos pasos y las mismas figuras, despojadas de alteraciones, tan típicas una década antes.

Esos cambios estuvieron respaldados por una mayor cultura musical de los músicos, que comprendieron que el virtuosismo de uno o dos instrumentos ya no bastaba para satisfacer el gusto popular, que mostraba prevención y aun rechazo al no concurrir a ciertos lugares de baile o al no salir a bailar determinadas piezas ejecutadas en el estilo de la Guardia Vieja.

Fue así que hubo un período de transición, muy breve, pero reconocible en la memoria de los protagonistas, en el que cambió la estructura de las orquestas para adaptarse al gusto aparentemente indefinible de lo nuevo, o bien lo hicieron los repertorios, a los que se incorporaron creaciones de músicos jóvenes, que en muchos casos apenas tenían trayectoria en radios, películas o en agrupaciones musicales.

La clase alta adopta el tango.

Esos memoristas tuvieron dos virtudes. Una, la de reconocer la necesidad del cambio, y otra, la de no atribuirse la paternidad de las nuevas ideas musicales y coreográficas.

Cafés, bares y otros lugares en la Corrientes Angosta

Hasta mediados de la década de 1930, era posible encontrar cafés de la grey burrera y de la nocturnidad tanguera en lo que hoy se llama la Corrientes Angosta. Algunos de sus nombres: La Helvética, Copini, Gerard, Richmond, Bar de Rosendo, Suárez, Confitería Cabildo, Royal Keller, Buen Gusto, Guaraní, Almacén de Piaggio, Mogyana, Los Inmortales, Germinal, Paulista, Nacional, Ideal, los 36 Billares, El Quijote, Botafogo, Croce de Malta, San Bernardo, El Conte, Chiquín, Seminario, La Oración, El Verde, Marzotto, Tango Bar, El Parque, Rotisería Argentina, Real, El Estribo, Apolo, Telégrafo, Pasatiempo, Politeama, La Terraza, Sabatino, La Giralda, Iglesias, Domínguez, Ramos, etc., todos situados entre San Martín y Riobamba, cada uno con su historia, su clientela y sus anécdotas, reales o atribuidas.

Corrientes angosta. Fotografía de la época

Dentro de los límites establecidos hubo peñas tangueras - Aue´s Keller, El Sibarita- y peñas literarias, como la existente en el siempre recordado Café Los Inmortales (rescatado del olvido y de los relatos poco fiables por Vicente Martínez Cuitiño), en La Brasileña, o en el Royal Keller, refugio del grupo martinfierrista editor de la Revista Oral.

Confitería Ideal

También existieron lugares donde fueron celebradas reuniones de intelectuales, que de acuerdo con la hora de reunión se dividieron en cenáculos o almorzáculos.

Siempre dentro de los límites indicados, pero en la Cortada Carabelas, existieron lugares para almorzar y cenar abundantes platos por poco dinero, que tenían clientela cautiva en los trabajadores del mercado cercano, en la bohemia teatral y en la tanguera.

A pocos metros de Sarmiento y la cortada funcionó "El Puchero Misterioso", restaurante así bautizado por Conrado Nalé Roxlo, en el que con veinte cen-tavos era posible alimentar-se con alguna de las

Café de los Inmortales

piezas cárnicas del puchero preparado, posibles de asir sólo mediante el auxilio de un largo pinche.

Afiche de la película "Tango", la primera película sonora.

El tango en la década del '40

Este histórico momento ha sido llamado con mucha razón la *Época de Oro* del tango, pues en ella coincidieron y se complementaron músicos, composiciones y vocalistas.

Se pusieron de manifiesto entonces, muy claramente, los beneficios de la enseñanza de conservatorios y academias (la excepción en esta década fue, justamente, el músico analfabeto e intuitivo, que predominara años antes).

Tres soportes de esta nueva época fueron: la radiotelefonía, las películas y los bailes realizados en el Centro y los barrios.

A partir de la filmación de "Tango"(una de las primeras cintas sonoras de la Argentina), que tuvo como sustentación principal la música popular de Buenos Aires a partir de un argumento muy débil, se inició una difusión que tendría dimensión nacional.

Así, poco después, no hubo centro urbano que no tuviera su pantalla para proyectar películas –la mayoría todavía mudas- pero progresivamente dotadas de músicas y voces.

Un fenómeno paralelo ocurrió con la radiotelefonía, que contó con más de una veintena de estaciones propaladoras, con secciones fijas destinadas a la música popular y en las que era posible escuchar la voz y las guitarras que tenían la preferencia del gran público.

En el centro de Buenos Aires no había cuadra donde no a-brieran sus puertas, confiterías, cines, salones, cafés, cabarets, *boites*, que no difundieran tangos, con la presentación de las agrupaciones musicales o por medio de propalaciones eléctricas.

Así el Nacional, el Marzotto, el Ebro Bar, el Germinal o el Café de los Angelitos eran cita obligada para escuchar a Anibal Troilo, Osmar Maderna, Osvaldo Pugliese, Orlando Goñi, Alfredo de Angelis, Horacio Salgán, Francini-Pontier o José Basso, con sus respectivos cantores.

Jaime Yankelevich, uno de los pre-cursores de la radiotelefonía argentina.

Por la noche se podía acudir a los cabarets como el Chantecler, donde Juan D´Arienzo había sentado sus reales, Marabú,

Cabaret. Fotografía de la época

Maipú Pigall, Tabarís, Tibidabo y algunos otros locales, todos situados en el centro porteño.

Mientras, en los atardeceres, era posible ir a las confiterías Ruca, Galeón, Novelty, Nobel, Picadilly, Sans Souci, Montecarlo, o a los tres Richmond, ubicados en Florida, Esmeralda o Suipacha, respectivamente.

Pabellón de las Rosas. Fotografía de la época.

Para los que gustaban de los ambientes decididamente perdularios estaban los locales habilitados en las calles 25 de Mayo, Alem y Reconquista, calificados por la Municipalidad como salones de baile Clase A, B, o C, categorías que agrupaban a malos y peores.

Cabaret. Fotografía de la época

A pesar de ello, fueron escenarios de conjuntos de muy buena calidad musical, como los de Raúl Kaplún, Rodolfo Biagi o Alfredo Gobbi (h).

En plena zona de Retiro abría sus puertas el famoso Pabellón de las Flores, nombre irónico dado por el público, el Salón Lavalle y el Príncipe Jorge.

Aníbal Troilo en un baile organizado por un club, en los carnavales.

Dibujo de Mario Zavattaro, el tango bailado en un barrio, con la música de un organito.

Enrique Santos Discepolo

Ampliaban el panorama para una posible concurrencia Casa Suiza, Salón La Argentina, Salón Augusteo, Unione e Benevolenza, Unione e Lavoro, Editorial Haynes, etc.

Esta euforia tanguera consiguió que en esta década varias salas teatrales o cines habilitaran sus salas –con retiro de las butacas- para la celebración de los bailes de Carnaval.

En una muy rápida enunciación de lugares a los que se concurría los fines de semana a escuchar y bailar tango,es posible citar, en zonas cercanas a la General Paz: Pedro Echagüe, Estrella de Maldonado, Claridad y a los grandes clubes de fútbol que en la Capital y el conurbano abrían sus puertas para los Carnavales, como Independiente y su anexo en Flores, Racing y su anexo en Villa del Parque, Lanús, San Lorenzo, Ferro Carril Oeste y Huracán.

En estos clubes los bailes estaban animados en vivo por orquestas, mientras que con grabaciones eran muy concurridos Sportivo Buenos Aires, Social Rivadavia, Premier Oeste, Palacio Rivadavia, Social Villa Crespo, Villa Sahores, Flores que Surgen, etc. etc.

Entre las confiterías céntricas en las que actuaron orquestas de tango y jazz se debe mencionar a Picadilly, Sans Souci, Dominó, Novel y Siglo XX, que reemplazó a La Armonía.

La nueva poesía del tango

Junto con la renovación musical se produjo una renovación poética, que expresó las nuevas corrientes poéticas que renovaron la literatura argentina en general, y la poesía tanguera popular en especial.

Como síntesis de la gran renovación del tango es posible decir que entre 1940 y 1950, de acuerdo con lo indicado en los catálogos de los distintos sellos grabadores, se editaron más de 2000 grabaciones, lo que significa que la emisión diaria superó casi la media docena.

En SADAIC, por su parte, la cifra de composiciones registradas triplica las cantidades indicadas. Ambas estadísticas sirven para comprender porque se llamó *Epoca de Oro* a esos quince años.

Homero Manzi

José María Contursi

Cuarteto: Aníbal Troilo en bandoneón, Grela en guitarra.

También está en correlación con las orquestas que actuaron a lo largo y a lo ancho de toda la República, ya que las cuentas se hicieron -y se siguen haciendo- sobre las que actuaron en Buenos Aires, sin considerar que en cada pueblo o capital del Interior hubo orquestas que animaron semana a semana los bailes que se realizaban en los clubes o asociaciones de colectividades extranjeras.

La sociedad de la década de 1960 no fue la misma que la de 1930 o la de 1940. En ella convergieron muchos factores ajenos al tango, que influyeron sobre orquestas, cantores, compositores, espectáculos y lugares de esparcimiento.

Con ello, se redujo la cantidad de músicos por orquesta, fueron cerrados lugares y disminuyó la concurrencia.

Orquesta Juan D'Arienzo

Cuarteto "Los Ases"

La suma de condiciones adversas obligó a los directores de gran--des orquestas a reducir su personal, de modo que muchos músicos y cantores quedaron sin trabajo. Paralelamente, locales tradicionales dieron espacio para otros ritmos o, directamente, eliminaron el tango.

Para subsistir, muchos directores de grandes orquestas se vieron obligados a dirigir pequeños conjuntos (cuartetos o quintetos), de la misma manera en que los músicos despedidos se refugiarron en agrupaciones mìnimas.

Los conjuntos a los que es posible calificar de chicos (de dúos a cuartetos), por la ya señalada elevación de la cultura musical y la necesidad de buscar nuevos rumbos para permanecer en el mercado, iniciaron la riesgosa aventura de innovar –desde luego, en algún sentido esto significó un beneficio porque había, en el momento previo, cierta *comodidad* en muchos compositores e intérpretes, cierto apego a fórmulas consagradas.

La recreación de viejas partituras y la producción de otras nuevas no dio, en la mayoría de los

El Viejo Almacén

casos, resultados idóneos, por lo cual sólo provocó el negativo efecto de alejarse de la de la tradición sin acercarse a propuestas estéticas vàlidas.

Una rápida ojeada a los conjuntos *chicos*, permite la siguiente ennumeración: Cuarteto Los Notables del Tango, con Leopoldo Federico; Cuarteto Estrellas de Buenos Aires, con nombres importantísimos como los de Hugo Baralis, Armando Cupo, Jorge Caldara y Enrique Díaz, que fueron compositores y directores de sus propias agrupaciones; Orquesta de las Estrellas, dirigida por Miguel Caló, fracasado intento de reverdecer antiguos lauros; Trío Yumba; Los Tres de Buenos Aires, dirigidos desde el piano por Osvaldo Tarantino; Los Cuatro del Tango, el dúo Demare-Mori; el trío Baffa-Berlinghieri-Cabarcos, que dio marco musical a Héctor Ortiz y a Roberto Goyeneche; Los Solistas del Tango, con el canto de Horacio Deval; el dúo Fer-

Aníbal Troilo

nández-Pascual; el nuevo trío de Mario Demarco; Cuarteto Puro Tango; Cuarteto San Telmo; Los Solistas del Tango; el Palermo Trío, dirigido por Bartolomé Palermo.

Estos y otros actuaron en locales tradicionales u otros nuevos, como La Tanguería, Palito 85, Sunset Street, Malena al Sur, El Mesón Español, Siglo XX, Cantina Don Ernesto, El Viejo Almacén, El Boliche de Rotundo, El Bulín Mistongo, La Calle, Cambalache, Caño 14, Patio de Tango, etc.

Al mismo tiempo registraron grabaciones en se-

Horacio Salgán

llos como Polydor, Music Hall, Odeón, RCA Victor, Tini y TK.

Igualmente, a consecuencia de esta crisis económica, muchos vocalistas se presentaron acompañados por una guitarra o un dúo de ellas. Reverdecieron de esa manera, casi sin proponérselo, una modalidad propia de los primeros años del siglo XX.

De los músicos que perduraron en la temática tanguera hay que diferenciar a los tradicionales o semitradicionales, entreverados con los *evolutivos* -los moderadamente vanguardistas-, de los que decididamente provocaron una ruptura musical y constituyeron una corriente musical modernista.

Entendemos que sòlo así se podrá alcanzar una real comprensión de la trascendencia de este período transicional.

Entre los *evolutivos* fueron relevantes Horacio Salgán, Osvaldo Pugliese, Ubaldo de Lío, Enrique Mario Francini, Anibal Troilo, Roberto Grela, Carlos Di Sarli, Florindo Sassone. Y entre los *rupturistas*, Eduardo Rovira y, fundamentalmente, Astor Piazzolla.

Carlos Di Sarli

Osvaldo Pugliese

Orquesta Miguel Caló

El paso de la Guardia Vieja a la Guardia Nueva hay que atribuirlo más a la adquisición general de cierta cultura musical que al genio de algún músico en especial.

Esto, más allá de que los hubo entonces de primerísimo nivel y en diversas facetas de la creación y la musical, como puede apreciarse en numerosos compositores, directores, orquestadores y arregladores.

Ellos le otorgaron al tango un vuelo melódico y un romanticismo de los que carecía, hecho que coincidió con una época de tranquilidad social y prosperidad económica interna, en oposición al estado de guerra que predominaba en buena parte del mundo.

Conjuntos de la Edad Dorada

Corresponde decir ahora -contrariando un concepto muy difundido- que a través de su historia el tango exhibió una continua evolución, más allá de ocasionales estancamientos, que no afectaron nunca a toda la comunidad tanguera.

Siempre hubo diferentes, rebeldes, originales, personalidades. Siempre se actuó como en positiva respuesta a la poética exhortación de Antonio Machado: "Despertad, cantores,/ que cesen los ecos y empiecen las voces."

Así, hubo siempre voces, por más que a veces los ecos parecieron ahogarlas. Y hubo vanguardias, dado que la cultura musical adquirida gradualmente posibilitó el hallazgo de nuevas formas de interpretar las composiciones tradicionales, o de nuevas maneras musicales (en la melodía, en el ritmo, en la cadencia, en la armonización del sonido de los instrumentos y aun en los silencios).

Por lo tanto, alguien estuvo siempre, auspiciosamente, un paso adelante del cercano ayer, abriendo surcos que, aunque aparentaban romper con el pasado, en realidad hacían que fructificara su semilla.

En los años que corren entre 1938 y 1955 hay, en breve y selectiva reseña, por lo menos dos decenas de orquestas de primer nivel.

La Orquesta Típica Los Indios, con la dirección de Ricardo Tanturi, estuvo formada por Francisco Ferraro, Raúl Iglesias, Héctor Gondre y Juan Saettone en bandoneones. Los violines fueron Norberto Guzmán, Alberto Taibo, Vicente Salerno y Armando Huso. En contrabajo, Enzo Raschelli y Armando Posada en piano.

"Orquesta de las Estrellas", de Miguel Caló

Cuando hizo su aparición provocó gran impacto la orquesta integrada para acompañar al cantor Francisco Fiorentino, ya que la dirección recayó en Astor Piazzolla, que contó con la colaboración de Fernando Tell, Angel Genta y Roberto Di Filippo en bandoneones –para muchos tratadistas, Di Filippo fue uno de los bandoneonistas más eminentes–; de Hugo Baralis, Ernesto Gianni, Juan Bibiloni y Oscar Lucero en violines. Completaron el conjunto Angel Molo, José Díaz y Carlos Figari.

Miguel Caló dirigía un conjunto musical al que el público consagró como La Orquesta de las Estrellas. La integraban Domingo Federico, Armando Pontier, José Barbareri y Felipe Ri-

Orquesta José Basso

ciardi, en bandoneones; Enrique Mario Francini, Aquiles Aguilar, Haroldo Gessaghi y Angel Bodas en violines; Ariel Pedernera, en contrabajo; Osmar Maderna, en piano, y como cantor, Alberto Podestá.

Esta formación confirma lo dicho antes sobre la existencias de vanguardias y vanguardistas musicales, pues son varios los nombres indicados que se revelaron luego como innovadores.

Francisco Canaro, adaptado a los nuevos tiempos, organizó su orquesta con Alfredo de Franco, Minotto Di Cicco, Ramón Torreyra en bandoneones; violines, Octavio J. Scaglione, Dante Napolitano y Angel de la Rosa; Vicente Merico en clarinete, Abraham Krauss en contrabajo y Luis Riciardo en piano.

La gran novedad para la época fue un dúo de cantores integrado por Ernesto Famá y Francisco Amor.

Orquesta Carlos Di Sarli

Aníbal Troilo estuvo acompañado por Juan M. Rodríguez, Astor Piazzolla, Eduardo Marino y Marcos Troilo en bandoneones; los cuatro violines fueron Hugo Baralis, David Díaz, Reinaldo Nichele y Pedro Sapochnik. El contrabajo fue Enrique Díaz; Orlando Goñi en piano, y el cantor, Francisco Fiorentino.

Los arreglos estuvieron a cargo del mismo Troilo, Piazzolla y Argentino Galván.

Un compositor e intérprete de larga trayectoria, como Orlando Goñi, presentó en 1943 un disciplinado conjunto, dirigido por él desde el piano. Los bandoneones, Roberto Di Filippo, Antonio Ríos, Eduardo Rovira y Luis Bonnat; los violines, José Amiatriain, Antonio Blanco y Antonio González; el contrabajo, Domingo Donaruma. La parte vocal estuvo confiada a Raúl Berón, quien reemplazó a Francisco Fiorentino, que fue el cantor inicial.

Orquesta Eduardo Rovira

Poco tiempo después Astor Piazzolla logró formar su propia orquesta, con Vicente Toppi, Abelardo Alfonsín y Roberto Di Filippo como compañeros de bandoneones. Carmelo Caballero, Hugo Baralis, Andrés Rivas fueron sus violines. Valentín Andreota se hizo cargo del contrabajo y Atilio Stampone del piano.

La iniciación de la nueva década permitió conocer al conjunto de Juan Carlos Howard, que lo dirigió desde el piano, y que contó con Máximo Mori como orquestador.

Por su parte José Basso, después de integrar varias orquesta formó la propia. La dirigió desde el piano, teniendo a Eduardo Rovira, Julio Ahumada, Adolfo Francia y Andrés Natale en bandoneones. Los violines en esta ocasión fueron para Francisco Oréfice, Mauricio Mise, Rodolfo Fernández y Rodríguez. Rafael del Bagno fue el contrabajista y Ortega del Cerro y Ricardo Ruiz los cantores.

La orquesta Francini-Pontier alistó en los bandoneones, junto al propio Armando Pontier, a Antonio Roscini, Angel Domínguez y Fernando Tell. Los violines fueron para Enrique Mario Francini, Emilio González, Aquiles Aguilar y Alberto del Bagno. Horacio Cabarcos se hizo cargo del contrabajo y Juan J. Paz del piano. Los cantores fueron Raúl Berón y Roberto Rufino.

Como era una época de prosperidad y se pagaban mejores salarios que en años anteriores, hubo mayor demanda de distracción, lo cual dio, como una de sus consecuencias, la proliferación de orquestas de tango y conjuntos de música nativa.

Mario Demarco debutó entonces con su orquesta, integrada por Alberto Garralda, Tito Rodríguez, y Ricardo Varela en bandoneones; Luis Piersantelli, Emilio González y Antonio Blanco en violines; Ernesto Romero en el piano, y Luis Adesso en el contrabajo. Fueron sus cantores Alberto Santillán y Jorge Sobral.

Un quinteto que se destacó en esa época fue el nucleado en torno a Ciriaco Ortiz. Este bandoneonista reunió a Federico Scorticati como compañero de instrumento, a Elvino Vardaro y Hugo Baralis en violines, mientras Jaime Gosis se desempeñó en el piano.

Algo parecido ocurrió, en cuanto a la aprobación del público, con la orquesta de Osmar Maderna, que la dirigió desde el piano. Sus bandoneones fueron Felipe Riciardi, Cesar Díaz, Orlando Sappia y Mario Scandarella. Los violines, Antonio Cipolla, Aquiles Roggero, Edmundo Baya y Emir Monteverde. El contrabajo fue ejecutado por Rufino Arriola, mientras Mario

Orquesta Joaquín Do Reyes

Cané tuvo a su cargo la parte cantable.

Esta formación confirma lo dicho antes sobre la existencias de vanguardias, pues son varios los nombres indicados que se han consagrado luego como creadores y directores que hicieron escuela.

Por su parte, Alberto Mancione dio marco musical a las voces de Jorge Ledesma y Francisco Fiorentino, acompañados en bandoneones por Roberto Vallejos, Antonio Longerella, Ángel Domínguez y Julio Menor, y Bautista Huerta, Francisco Mancini, David Ascenmil y Manuel La Plaza, en violines. Julio Ceitlin en viola, Angel Molo en violoncelo e Italo Bessa en contrabajo, completaron el conjunto.

Los críticos y estudiosos del tango coinciden en indicar a 1955 como el año en el que se inicia el período considerado como la *Vanguardia,* por la renovación que se ha de producir hasta fines de la década de 1960.

En el año inicial se pueden indicar como formaciones señeras al Octeto Buenos Aires, que se inició con Astor Piazzolla y Roberto Pansera en bandoneones, y luego Leopoldo Federico. Los violines estuvieron a cargo de Enrique Mario Francini, Elvino Vardaro y Hugo Baralis. El violoncelo fue interpretado por José Bragato. Completaron esta formación Horacio Malvicino, Hamlet Greco y Antonio Vasallo.

También ese año se presentó ante el público la nueva orquesta de Miguel Caló, con Julián Plaza, Luis Rodríguez, Héctor Corralli, Víctor Lavallén, en bandoneones; Aquiles Aguilar, José Votti, Julio Graña y Pedro Sapochnik en violines, Enrique Marchetto en contrabajo y Carlos Almagro en la parte vocal.

Otra gran novedad fue la orquesta de Horacio Salgán, quien desde el piano dirigió a Ernesto Baffa, Abelardo Alfonsin, Edelmiro D´Amario, Roberto Díaz (bandoneones); Antonio Scelza, Víctor Felice, Angel Bodas, Pedro Desrets, Alberto del Mónaco y Ramón Coronel (violines); Victorio Casagrande (viola); Miguel Ariz (violoncelo), y Angel Alegre (contrabajo).

Orquesta Carlos Figari

Angel Díaz y Roberto Goyeneche tenían la responsabilidad de la parte vocal.

Mención para otras grandes orquestas de esos años: Héctor Varela, Stampone-Federico, Juan Sánchez Gorio, Ricardo Pedevilla, Carlos Demaría, Lucio Demare, Argentino Galván, Eduardo Del Piano, Joaquín Do Reyes, Carlos Figari y Raúl Kaplún.

Era posible entonces, con sólo consultar los sábados un diario como *El Mundo*, saber qué orquestas de tango y de jazz actuaban en Buenos Aires y sus alrededores.

Casi siempre pasaban de treinta los lugares donde se podía elegir la orquesta preferida para bailar el fin de semana. Si no, había múltiples salones que abrían sus puertas para bailar con música de discos (*selectas grabaciones*, solía decirse), como la Confitería Salón Azul o el Anexo Flores, de Independiente, que tenían que competir contra el prestigio que en Caballito tenían las reuniones en el Club Ferro Carril Oeste, en donde bailar cruzado era motivo de expulsión.

114

Orquesta Francini - Pontier

Orquesta Alfredo Gobbi

Orquesta Horacio Salgán

Orquesta Héctor Varela

Orquesta Alberto Mancione

Orquesta Osmar Maderna

Orquesta Atilio Stampone

Orquesta Ricardo Tanturi

Cambios negativos

A las malas condiciones económicas causadas por la guerra mundial, que paralizó casi todo el comercio exterior argentino, hay que agregar la acción policial, que se dedicó a un verdadero rastreo de las *mariposas nocturnas*, que animaban las noches de los cabarets y boites, poniendo en aprietos a muchos hombres que en las *razzias* tenían que acompañar a las *chicas* a las comisarías, donde eran fichados. Con ello quedaban expuestos a problemas familiares que podían resultar muy serios.

Ese accionar policial fue uno de los motivos que hizo habilitar, en la zona norte del Gran Buenos Aires, especialmente en Vicente López y San Isidro, locales nocturnos que estaban al amparo de las visitas requisitorias, por regir otra legislación y otro control policial.

"Mariposa roja", de Aldo Severi

Todo ello repercutió en las fuentes laborales, que redujeron las nóminas de empleados y obreros, iniciando una etapa de despidos, trabajos mal pagos, incumplimiento de leyes sociales y laborales que a su vez, influyeron negativamente en los salarios y sueldos.

Al mismo tiempo, el mercado argentino se vio invadido por músicas extranjeras (centroamericanas y de jazz) que a través de las películas fueron influyendo en el gusto del público. Paralelamente las casas grabadoras lanzaron al mercado las producciones de discos que contenían esas músicas, todo lo cual repercutió negativamente en el mercado del tango.

El auge de la música nativa, entre 1951 y 1957, hizo que las placas vendidas de esta modalidad igualaran y aun superaran la venta de las grabaciones de tango.

Estas circunstancias obligaron a la mayoría de las grandes orquestas a reducir su personal, dejando a muchos músicos y cantores sin trabajo. Paralelamente, locales tradicionales (cabarets, confiterías, salones de baile, clubes de barrio, etc.), dieron espacio para otros ritmos o directamente eliminaron al tango.

Así fue que cerraron sus puertas Ruca, Marzotto, Richmond de Suipacha, Germinal, Nacional, Tango Bar, entre los más renombrados.

. En este proceso de readaptación a la nueva realidad imperante del mercado, no disminuyeron igualmente todos los tipos de agrupaciones musicales dedicadas al tango, ya que si bien por un lado desaparecieron las grandes orquestas, por otro aumentaron las pequeñas.

A ello se agregó la modalidad de mantener grandes orquestas para las presentaciones públicas, pero reclutando los músicos necesitados en cada ocasión para -terminado el contrato- dejarlos en libertad, con lo cual, por más que permaneciera el nombre, desaparecía la orquesta como tal.

Los grandes conjuntos subsistentes fueron Alfredo Gobbi, Osvaldo Pugliese, Juan D'Arienzo, Carlos Di Sarli, Ricardo Tanturi, Mariano Mores, Osvaldo Fresedo y algún otro.

Esta nueva época del tango propició el trabajo del disc-jockey, factor que adquirió relevancia en el ambiente musical en general.

En realidad, fueron la prolongación, debidamente actualizada, de muchos locutores que en décadas anteriores dirigieron audiciones radiales dedicadas al tango.

Las diferencias con los nuevos conductores de programas -más allá del bagaje técnológico con el que fueron contando cada vez en mayor medida-, radicó en que, mientras los viejos locutores estaban concentrados en el tango, los nuevos cubrían un abanico o espectro musical mucho más amplio, ya que incursionaron en variados ritmos, intercalando música centroamericana, brasileña o jazz.

Con el agregado de que muchos de estos disc-jockeys dependían, para mantener sus fuentes de trabajo, del favor de las firmas grabadoras, y por ello reiteraban la frecuencia de los dis-

Nelly Omar, de una larga trayectoria. Acompañada por guitarras.

cos propalados para influir en el gusto popular y así incidir en las ventas.

Sin embargo, a pesar de todas las crisis, perduraron algunas orquestas y muchos de los cantores.

Jorge Sobral, Julio Sosa, Héctor Mauré, Raúl Berón, Edmundo Rivero, Alberto Marino, Roberto Goyeneche, Floreal Ruiz, Miguel Montero, todos con una larga trayectoria como vocalistas en las mejores orquestas, o renovadores como Néstor Fabián, Raúl Cobián, con el aporte femenino de Susy Leiva, Nelly Vázquez, Blanca Mooney, Nelly Omar, Amelita Baltar, Aída Denis, Alba Solís.

Julio Sosa

A Piazzolla primero se lo combatió, luego se lo aplaudió y finalmente, por suerte aún en vida, se lo consagró. Consagración que al mismo tiempo alcanzó internacionalmente.

En la actualidad, su música forma parte de innúmeros repertorios en todo el mundo, y su talento no sólo no admite discusiones, sino que se lo ubica entre los grandes creadores musicales del siglo XX.

Raúl Berón

Además, consiguió formar escuela, y sus seguidores avanzan por las huellas que, con su paso, marcara en la música de Buenos Aires.

Por lo tanto, es posible encontrar hoy poetas, músicos, y cantantes de la última generación que son decididamente *piazoleros o apiazolados*.

Horacio Ferrer, Federico Silva, Luis

Héctor Mauré

Floreal Ruiz

Alberto Marino

Alposta, Héctor Negro, Horacio Expósito, entre los primeros.

Músicos como Néstor Marconi, José Libertella, Osvaldo Ruggiero, Daniel Piazzolla (hijo de Astor), Luis Stazo, Raúl Garello, Rodolfo Mederos, Daniel Binelli, entre otros.

Mientras que las y los cantantes pueden sintetizarse en los nombres de Amelita Baltar, Rubén Juárez y Raúl Lavié, por citar únicamente a los más renombrados.

Paralelamente al *fenómeno Piazzolla* se registró la incursión de otros valores vocales que reflejan la corriente tradicionalista del tango posgardeliano, o bien representan una evolución intermedia: Guillermo Fernández, Chiqui Pereyra, Luis Filipelli, Héctor Blotta, etc.

Las voces femeninas de esta generación pueden compendiarse en los nombres de Nelly Omar, Susana Rinaldi, Nelly Vázquez, Gloria Díaz, Rosanna Falasca, María Garay, Graciela Susana, Patricia Vel y María Graña.

La industrialización a partir de la década de 1930, con el consiguiente afluir del Interior hacia la Capital, tuvo su fecha inicial en el 17 de octubre, ya que no sólo indicó la iniciación del peronismo como movimiento polìtico y como sistema de gobierno, sino también el desplazamiento de la clase media como eje social, para trasladarlo al proletariado.

Así, se volcó en éste el cuenco de las transformaciones socio-económicas, con leyes que amparaban desde el embarazo hasta el despido, desde el aguinaldo hasta la jubilación (leyes en muchos casos existentes, como resultado de acciones sindicales y políticas que se venían reiterando, a veces heroicamente, desde la década de 1920 y aun antes, pero que nunca hasta entonces habían beneficiado en forma tan amplia al conjunto de la sociedad).

Ese cambio en la ubicación del eje social dio como resultado que buena parte de la producción del tango hiciera una regresión al pasado, con la añoranza de barrios desaparecidos por acción de las urbanizaciones, el rescate de personajes ya muertos por la acción de los años, muchas veces sin perder el lastre de juzgar, con adjetivos cínicos o directamente despiadados, la libertad femenina, ejercida cada vez con mayor soltura.

Ese cambio en la sociedad dio al tango un inestimable soporte, gracias al cual los autores que comprendieron acertadamente la circunstancia que vivían, incorporaron nuevas formas poéticas en sus letras (todavía no del todo estudiadas en profundidad y extensión).

Alba Solís

Con esa revolución ya no era suficiente describir con simpleza hechos o personas. Había que hacerlo con enfoques nuevos, con figuras nuevas, que añadieran riqueza de atmósfera, de clima, al mismo tiempo que poesía.

Esa renovación poética estuvo muy ligada a la elevación de la cultura en general y al hecho de militar muchos de sus representantes en corrientes ideológicas de centro-izquierda o izquierda atemperada.

No obstante, el peronismo tuvo su ocaso y con él, lo tuvieron las clases más bajas. Así, el tango ejecutado por grandes orquestas empezó a desaparecer, siendo reemplazado por los pequeños conjuntos.

Susy Leiva

Esta nueva forma de organizar agrupaciones, sintió indirectamente la influencia de la situación internacional y nacional. Se reaccionó en política y en lo social contra los modelos existentes, que pasaron de ser vigentes a obsoletos.

La crisis económica de los años sesenta fue acompañada por un desplazamiento popular del tango hacia el folclore, mientras músicas importadas ganaban sectores consumidores de la clase media, para la que estaban dirigidas.

El conservadorismo político echó mano a los gobiernos de facto, mientras un sector importante de esa clase media media contragolpeó con las innovaciones del Instituto Di Tella, los café-concerts, la minifalda, la progresiva práctica del amor libre y el consumo de drogas (neta influencia de los hippies y de los opositores a la guerra de Vietnam).

En estos años se produjo en el tango, como resultado más notable, su abandono por parte de los sectores socio-económicamente menos favorecidos, para convertirse en la música de la clase media, que conservaba un poder adquisitivo de consumo relativamente alto.

En ella se aglutinaron sectores de muy variadas ideologías y culturas y esto produjo una renovación musical que, sin renegar del comienzo tanguero, le dio nuevas formas, que representaron una renovación muy profunda (Troilo, Salgán, etc.), coincidente en muchos casos con la renovación poética.

Fue así que desde 1930 en adelante, el tango dejó de ser una expresión musical prostibularia, carcelaria y apenas un poco más, para serlo de los empleados, pequeños empresarios y prestadores de servicios, que tenían una ideología diferente, liberal neocapitalista, por vivir en un mundo de esa característica. Por ello, muchas de las manifestaciones que se reúnen desde esa fecha hasta hoy, cuando se refieren a los barrios, las mujeres trabajadoras y a modalidades muy específicas del estilo de vida ya superado, lo hacen como remembranzas o añoranzas del tiempo perdido.

El fin de la guerra fría dio nacimiento a nuevas formas de

ordenamiento capitalista, conocidas como globalización. En lo político, se manifestó en gobiernos de facto que en nombre de la democracia proscribieron partidos políticos u otros que en nombre de reorganizaciones nacionales, impusieron las más crueles y brutales persecuciones.

Poesía renovadora

En relación con la música y la poética tanguera, vale la pena insistir en que en ningún caso se trató de actos de *generación espontánea,* sino de prolongados procesos de gestación.

Estos procesos se expresaron inicialmente en arreglos orquestales renovadores, que fueron cambiando la sonoridad del tango pero conservaron las formas, lo cual condujo inexorablemente a nuevas, imprescindibles etapas transformadoras.

Así apareció en plenitud la música de Piazzolla y sus seguidores, complementada con la poesía de creadores como Horacio Ferrer.

A pesar de los cambios y de la mezcla de tendencias e ideologías políticas y musicales, se mantiene vigente el tema del amor entre la mujer y el hombre, por más que con mayores alternativas que en épocas anteriores.

Se agregaron aditamentos que antes casi no existían, o lo hacían a niveles irrelevantes: la crisis moral proyectada desde principios del '30 hasta el presente, el ocaso físico, afectivo y con él, la soledad personal. Precisamente, la crisis económica indicada, dio como resultado la producción de temas que lo graficaron con crudeza.

Como éste: *... y el puchero está tan alto/ que hay que usar un trampolín .../ Si habrá crisis, bronca y hambre, / que el que compra diez de fiambre/ hoy se morfa hasta el piolín.*[3]

Y en el *Cambalache* de lamentable vigencia: *...Pero que el siglo veinte/ es un despliegue/ de maldá insolente,/ ya no hay*

---

3. *Al mundo le falta un tornillo*, de Enriue Cadícamo y José M. Aguilar.

quien lo niegue./ Vivimos revolcaos/ en un merengue/ y en el mismo lodo/ todos manoseaos.[4]

Esa crisis, agravada por la presencia de las fuerzas militares en las calles, derrocando presidentes constitucionales y digitando el voto popular con proscripciones, tuvo su expresión en *Se trafica con las drogas,/ la vivienda, el contrabando./ Todos ladran por el mando,/ nadie quiere laburar.*[5]

Esa falta de ética pública y privada generó reacciones armadas en la década de 1930. Una década y media más tarde se agregó la conmoción universal causada por la bomba atómica, que encontró su cauce en *te acordás, hermana, que desde lejos/ un olor a espanto nos enloqueció .../ era de Hiroshima, donde tantas chicas/ tenían quince años,/ como vos y yo.*[6]

Las más crudas expresiones de ese tiempo están dadas en *Pan*, anticipo indiscutible de los temas que aparecieron en el mundo mucho después, y a los que se dio en llamar *de protesta:... Y ver si es humano/ querer condenarlo/ por haber robado/ un cacho de pan.*[7]

A partir de 1966 la reacción contra las formas adoptadas por el capitalismo burgués para incrementar la explotación se manifestó con claridad en forma de guerrillas, primero rurales y luego urbanas, que no sirvieron para acallar el aliento romántico de la juventud, que se expresó en poesías como esta: *Soy sangre rebelde, muchacho de abajo. / Yo creo en mis brazos, en lo que ellos dan. / Y del lado izquierdo me caigo a pedazos, / cuando unos ojazos me miran de más.*[8]

La incredulidad reemplazó a la buena fe, a la palabra dada, más valedera que la firma en el papel. *Estamos hasta aquí de cuentos chinos. / Andá, cobráselo a Magoya / que pagariola tu desilusión, / Y el cuento de que Dios es argentino / andá corrien-*

---

4. *Cambalache*, de Enrique S. Discépolo.

5. *Bronca*, de Mario Battistella y Edmundo Rivero.

6. *El 45*, de María E. Walsh.

7. *Pan*, de Celedonio Flores y música de Eduardo Pereira (Chon).

8. *Bien de abajo*, de Héctor Negro y Arturo Penón.

do, contáselo.[9]

El tema del amor presenta sutiles diferencias, por lo que es necesario separarlo en tres categorías: el amor verdadero, el romántico y el interesado.

Para el primero se encuentran estas palabras: *Yo no quiero amor de besos, yo quiero amor de amistad. / Nada de palabras dulces, / nada de mimos y cuentos;/ Yo busco una compañera pa' batirle lo que siento, / una mujer que aconseje con criterio y con bondad.*[10]

Ese amor verdadero es capaz del sacrificio personal, al extremo de confesar *¡Sol de mi vida! .../ Fui un fracasao, / y en mi caída / busqué dejarte a un lao / ¡Porque te quise tanto, / tanto, que al rodar, / para salvarte, / sólo supe / hacerme odiar!*[11]

O de reconocer la fuerza del amor: *Criollita de mi pueblo, / pebeta de mi barrio, / con las alas plegadas / también yo he de volver.*[12] Ese amor acepta la separación sin tragedia *¿Te acuerdas? hace justo un año / nos separamos sin un llanto,/ ninguna escena, ningún daño... / simplemente fue un adiós, inteligente de los dos.*[13]

El amor no correspondido puede ocasionar la muerte por mano propia. *Dicen que dicen, que una noche zurda, / con el cuchillo deshojó la espera, / y entonces solo, para siempre solo, / largó el cansancio, y se mató por ella.*[14]

Por su parte, el amor romántico se manifiesta con otras aristas, pero siempre con un halo dulcemente triste, cuando le canta a un bien ya inalcanzable: *Me da su perfume tu blanco pañuelo, / tu nombre, María, me da su canción. / Reflejan tus ojos la cruz de otros cielos. / Te llevo en el barco de mi corazón.*[15]

La muerte lleva ese romanticismo a niveles patéticos:

9. *Magoya,* de María E. Walsh y Héctor Stamponi.
10. *Canchero,* de Celedonio E. Flores y Arturo de Bassi.
11. *Confesión,* de Enrique S. Discépolo y Luis C. Amadori.
12. *Golondrinas,* de Alfredo Le Pera y Carlos Gardel.
13. *Por la vuelta,* de Enrique Cadícamo y José Tinelli.
14. *Te llaman malevo,* de Homero Expósito y Aníbal Troilo.
15. *La viajera perdida,* de Héctor P. Blomberg y Enrique Maciel.

¡Paloma, cómo tosías / aquel invierno al llegar! / ¡Como un tango te morías / en el frío bulevar![16]

La expresión poética ennoblece a veces el recuerdo de algún amor fugaz: *Nuestro amor fue un amor del momento, / mi cariño fue un ave de paso, / y tus besos de miel y de raso, / un vaso sagrado que no olvidaré.*[17]

Otras veces apela a la fantasía, para señalar un intento de resignación ante una separación inevitable: *Haremos de cuenta que todo fue un sueño, / que fue una mentira habernos buscao, / así buenamente nos queda el consuelo / de seguir creyendo que no hemos cambiao ...*[18]

En oportunidades, alude a separaciones intempestivas *"Se acabó nuestro cariño" / me dijiste fríamente...*[19]

Y también, al alma que, desbordada por la pasión, ya no es capaz de distinguir con claridad: *Estás clavada en mí ... te siento en el latir / abrasador de mis sienes. / Te adoro cuando estás ... y te amo mucho más / cuando estás lejos de mí.*[20]

Igualmente, a la inutilidad de todo intento por reavivar amores ya extinguidos: *Mentira, mentira, yo quise decirle, / las horas que pasan ya no vuelven más. / Y así mi cariño al tuyo enlazado / es sólo un fantasma del viejo pasado / que ya no se puede resucitar.*[21]

Hay amores que, en vez de ser un remedio para el alma lastimada, apuran su final, y a ellos el tango también les cantó: *Triste consuelo / del que nada alcanza. / Sueño bendito / que me hizo traición, / Yo vivo muerto hace mucho, / no siento ni escucho / a mi corazón.*[22]

De todas maneras, siempre es más dolorosa la separación cuando se ha puesto la honra como aval del amor: *Sólo yo sé de*

16. *La que murió en París*, de Héctor P. Blomberg y Enrique Maciel

17. *Ave de paso*, de Enrique Cadícamo y Charlo.

18. *Paciencia*, de Francisco Gorrindo y Juan D´Arienzo.

19. *Mala suerte*, de Francisco Gorrindo y Francisco Lomuto.

20. *Pasional*, de Mario Soto y Jorge Caldara.

21. *Volvió una noche*, de Alfredo Le Pera y Carlos Gardel.

22. *Desencanto*, de Enrique S. Discépolo y Luis C. Amadori.

mi vida manoseada, / de este infierno que gané por no perderte. / De este horror de ver puesta en la balanza / mi conciencia que era honrada, / por ganar tus sentimientos.[23]

La eterna espera de un amor idealizado anula las posibilidades de vivir uno real: *Deja de llorar / por el príncipe soñado que no fue ..../ junto a ti a volcar/ el rimero melodioso de su voz ./ Tras el ventanal, / mientras pega la llovizna en el cristal, / con tus ojos más nublados de dolor, / soñás un paisaje de amor.*[24]

Hay personas para las cuales la soledad espiritual está siempre presente, no importa el entorno: *Las pobres milongas, / dopadas de besos, /me miran extrañas / con curiosidad. / Ya no me conocen, / estoy solo y viejo, / no hay luz en mis ojos, / la vida se va.*[25]

El recuerdo del amor, en soledad, ahonda la pena y lleva a oscuros presagios: *Angustia ... / de sentirme abandonado/ y pensar que otro a su lado / pronto, pronto le hablará de amor.*[26]

E inevitablemente, para algunos corazones enfermos, un velo de pesadumbre parece cubrir todo aquello que los rodea: *¡Qué triste está la calle! / ¡Qué triste está mi cuarto!... / ¡Qué solo sobre el piano, / el retrato de los dos!*[27]

El regreso a tiempos y lugares del pasado, puede llevar a las más amargas decepciones: *Nada, nada queda de tu casa natal .../ sólo telarañas que teje el yuyal. / El rosal tampoco existe / y es seguro que se ha muerto al irte tú...*[28]

Amores aparte, puede llamar la atención el empeño puesto en despojarnos de aquello que ayer nos caracterizara, en el afán de parecer otros: *Las pilchas que un día en el barrio usaste, / tal vez las tiraste en algún rincón. / En fija has tirado tus llantos y quejas, / como pilchas viejas de tu corazón.*[29]

23. *Precio,* de Carlos Bahr y Manuel Sucher.
24. *Nunca tuvo novio,* de Enrique Cadícamo y Agustín Bardi.
25. *Acquaforte,* de Juan C. Marambio Catán y Horacio Pettorossi.
26. *Nostalgias,* de Enrique Cadícamo y Juan C. Cobián.
27. *Tu pálido final,* de Alfredo F. Roldán y Vicente Demarco.
28. *Nada,* de Horacio Sanguinetti y José Dames.
29. *¿Sos vos? ¡Qué cambiada está!,* de Celedonio E. Flores y Edgardo Donato.

El barrio siempre permanece, pero añorado y ya inasible, transformado por el progreso material. Haciendo un ligero cotejo de las edades de los que toman al barrio como centro de sus letras, se comprueba que rondan los cuarenta años o los pasan. A eso hay que complementarlo con las nuevas formas de vida que se fueron imponiendo irreversiblemente. Así, es posible recordar: *Yo quiero como el cansino / caballo del carrusel, / dar vueltas a mi destino / al ruido de un cascabel.*[30]

Y la vuelta al barrio: *Barrio tranquilo de mi ayer, / como un triste atardecer, / a tu esquina vuelvo viejo... / Vuelvo más viejo, / la vida me ha cambiado ...*[31]

También es posible relacionar al barrio con los altibajos personales: *Con ella a mi lado / no vi tus tristezas, / tu barro y miseria, / ella era mi luz. / Y ahora, vencido, / arrastro mi alma, / pegado a tus calles / igual que a una cruz.*[32]

Ciertos lugares han servido para fijar, en la evocación, sentimientos muy caros: *La ventanita de mi calle de arrabal, / donde sonríe una muchachita en flor, / quiero de nuevo yo volver a contemplar / aquellos ojos que acarician al mirar.*[33]

Los cambios ocurridos ocasionan tristezas, ya que certifican la muerte del pasado: *Me da pena verte hoy, barrio de Flores, / rincón de mis juegos de pibe andarín. / Recuerdos cachuzos, novela de amores / que evoca un romance de dicha sin fin ...*[34]

La añoranza del barrio puede servir para expresar la soledad, cuando se siente al pasado como algo imposible de recuperar: *Farol de esquina, ronda y llamada. / Lengua y piropo, danza y canción. / Truco y codillo, carro y cortada / piba y glicina, fueye y malvón. / Café de barrio, dato y palmera,. / negra y caricia, noche y portón. / Chisme de vieja, / calle Las Heras, / pil-*

30. *Música de calesita*, de José González Castillo y Cátulo Castillo.
31. *La casita de mis viejos,* de Enrique Cadícamo y Juan C. Cobián.
32. *Arrabal amargo*, de Alfredo Le Pera y Carlos Gardel.
33. *Mi Buenos Aires querido,* de Alfredo Le Pera y Carlos Gardel.
34. *San José de Flores,* de Enrique Gaudino y Armando Acquarone.

chas, silencio, quinta edición.[35]

Esto se repite en *¡Qué pintoresco fue Buenos Aires! / De los taitas de cambrona con tresilla / saldrán a relucir hazañas de guapeadas, / y de las grelas de percal enfaroladas / se harán las mentas de la tierra en que nací.*[36]

Hay casos afortunados, en los que se acude a la evocación del barrio simplemente para expresar el dolor por los seres y las cosas que fueron, en una elegía de sencilla delicadeza: *Un pedazo de barrio, allá en Pompeya / durmiéndose al costado del terraplén, / un farol balanceando en la barrera / y el misterio de adiós que siembra el tren.*[37]

La soledad invade a los actores del ayer, que se van adentrando en el tiempo irrecuperable, al desaparecer el entorno que los sustentó: *Te añoran los compadres, faja y lengue, / te llora el payador sentimental. / Tanguea entre las sombras de canyengue / la pálida pollera de percal.*[38]

Un escenario en el que las letras plantean la acción una y otra vez -el bar, el figón, la taberna-, reaparece con *La cantina, / que es un poco de la vida / donde estabas escondida / tras el hueco de mi mano.*[39]

Expresión popular del revisionismo histórico, en 1930 se crea un tango cuya letra habla de una legendaria mujer del pasado argentino, como parte de una serie de temas análogos, que alcanzaron gran notoriedad: *... "Sólo a ti amaba ..." Y al expirar / besó en la estampa la faz de Rosas, / la mazorquera de Monserrat.*[40]

Otro tema que merece destacarse es el de la justicia por mano propia, que se manifiesta en versos como estos:

Y cuando quiso, justo el destino / que la encontrara, como ahora a vos, / trenzó sus manos en el cogote / de aquella perra

---

35. *Tango,* de Homero Manzi y Sebastián Piana.
36. *El porteñito,* de Carlos Pesce y Angel Villoldo.
37. *Barrio de tango,* de Homero Manzi y Aníbal Troilo.
38. *Patio mío,* de Cátulo Castillo y Anibal Troilo.
39. *La cantina,* de Cátulo Castillo y Aníbal Troilo.
40. *La mazorquera de Monserrat,* de Héctor P. Blomberg y Enrique Maciel.

...¡como hago yo! [41]

Esa justicia aparece en otros casos como probabilidad, como advertencia ante la posibilidad de un renuncio o una traición: *Sin embargo todavía,/ si se me cuadra y me apura, / puedo mostrarle a cualquiera/ que sé hacerme respetar. / Te quiero como a mi madre,/ pero me sobra bravura / p'hacerte saltar p'arriba/ cuando me entrés a fallar.*[42]

Novedad poética

Queda, para finalizar esta parte, el tema de la nueva versificación. Si bien hay atisbos anteriores, ésta tomó forma y se hizo muy popular desde la década de 1940 hasta la de 1960.

Es posible dividirla en dos períodos, el de la *Epoca de oro* el y de los años sucesivos, que tuvieron motivación y ritmo poético diferentes.

En la primera etapa son los principales exponentes Homero Manzi, Enrique Santos Discépolo, José M. Contursi, Enrique Cadícamo, Cátulo Castillo, Homero Expósito y Horacio Sanguinetti.

En la mayor parte de la poesía –tradicional o modernista– de esta fase, se encuentran como motivaciones constantes el barrio cambiado, perdido, y la soledad.

Si bien estas motivaciones son permanentes en muchos otros períodos, coinciden casi a la perfección con los cambios urbanos y la soledad que comenzó a imponerse con ellos.

La industrialización, ya señalada, fue la principal impulsora de esos fenómenos materiales y espirituales, que se pueden tomar como indicios de la desaparición de un mundo material, con su contenido espiritual.

Indicios que, por haber muerto el mundo al que pertenecían, son inasibles y han creado un vacío en el que las personas

---

41. *Dicen que dicen,* de Alberto J. Ballesteros y Enrique Delfino.
42. *Cuando me entrés a fallar,* de Celedonio E. Flores y José M. Aguilar.

giran, aparentemente sin destino ni objetivo determinado, y por ello sus vidas resultan banales, intrascendentes.

En este caso, la poesía parece tratar de remediar esos vacíos por medio de figuras poéticas, estilísticamente modernas y posmodernas.

Reacciones tan profundas o más, se encuentran en la literatura nacional desde 1875 hasta fines del siglo, con un agudo recrudecimiento a consecuencia de la crisis de 1890, pero no tienen el sabor amargo de no saber para qué se vive, se trabaja, se ama y se muere (en aquel entonces, la literatura era la expresión de un mundo convulsionado, pero no destruido).

Lo que se puede considerar como el segundo período de esta evolución poética se integra con nombres como los de Héctor Negro, *Mi infancia caminó por aquel cielo, que tanto barro debió esquivar*; Alejandro Dolina, *y se robaba las nieblas del otoño / para ponerlas de alfombra en su bulín*; Horacio Ferrer, *y vamos a correr por las cornisas /¡con una golondrina en el motor!*; Luis A. Alposta, *si después de yugar toda la vida / acabó por morfarse la esperanza*; Raúl Garello, *su cielo de gorrión, su luna triste, / son cosas que también viven conmigo*.

Hay, desde luego, figuras que cabalgan, tanto por edad como por ideologìa y expresividad, entre ambas etapas. Homero Expósito es un gran ejemplo, en especial porque pudo alcanzar su plenitud en aquel primer perìodo, y porque prolongó sus creaciones adentrándose en el segundo momento.

Esta última generación de poetas-letristas tuvo otra sociedad como medio en el que ha desarrollado su vida, sus estudios y su producción, rodeada de una tecnología avasalladora, progresivamente cambiante, que es la contradicción a la cultura humanista y universalista que imperó hasta la época de la Segunda Guerra Mundial.

Estos creadores son actores y testigos contemporáneos de la globalización, con todas las contradicciones que ella contiene.

Programa de "María de Buenos Aires", de Astor
Piazzolla y Horacio Ferrer

Tercera Parte .

El Tango Moderno

Piazzolla y sus seguidores

Dueño de una sólida, infrecuente formación académica, y habiendo abrevado en los músicos clásicos de la Guardia Vieja y la Nueva, Astor Piazzolla fue avanzando por nuevos caminos que él mismo abriera, con producciones que no sobresalían por ser modernistas, como fueron *Tanguango* o *Triunfal*. Su *Buenos Aires*, en cambio, estrenado en 1953, además de causar gran revuelo y conmoción, marcó el inicio de una auténtica innovación, de valiosos méritos y condiciones.

Ese camino tenía ciertos antecedentes en lo intentado años antes por Mores, Maderna, Cobián, Delfino, De Caro, pero era tan distinto, que se lo debe entender como verdaderamente nuevo.

Esto significa que en realidad esa huella marcada por Piazzolla no reniega de la tradición tanguera heredada, sino que la cambia de tal modo que, por lo nuevo de su propuesta, la hace aparecer como negada.

De la misma manera que se debió aceptar al tango como era en las décadas de 1910 y 1920, hasta su consagración como música popular porteña, así se aceptó con el tiempo a Piazzolla, pese a la pertinaz resistencia de los tradicionalistas extremos.

Astor Piazzolla

Osmar Maderna

Mariano Mores

Siempre, a lo largo de su historia, el tango tuvo innovadores y creadores, pero el impacto ocasionado por Piazzolla superó los límites de todo lo conocido.

No significa esta afirmación que su música no sea tango. Sólo se indica que, por ejemplo, con la coreografía del '30 o la más avanzada de la época del tango cruzado, es imposible bailar cualquier tema de este original compositor. La razón es que Piazzolla lo hizo sinfónico, hasta cambiar con ello el ritmo musical y la coreografía en un giro de 180 grados (como dirían los muchachos del café, lo puso *patas p'arriba)*.

Consagrado en vida, pese a las negaciones, tuvo -entre otros- dos mèritos descollantes: hizo conocer su música, bajo el rubro de tango, en niveles internacionales y logró formar escuela, ya que sus seguidores siguen las huellas marcadas por su paso en la música ciudadana de Buenos Aires.

Proliferaron estos seguidores entre los músicos, poetas, arregladores y cantantes de la generación que tiene presencia y vigencia. Así es posible

recordar, como ya lo hemos mencionado antes, entre los poetas a Horacio Ferrer, y también a Luis Alposta y Héctor
Negro; entre los músicos a Raúl Garello, Daniel Binelli y Rodolfo Mederos,
y entre los cantantes a Raúl Lavié, A-
melita Baltar y Rubén Juárez.

Los músicos continuadores de
esa corriente son muchos, por lo que a
los nombres anteriores se deben agregar los de Néstor Marconi, José Libertella, Osvaldo Ruggiero, Luis Stazo y
otros.

Horacio Ferrer

Formaciones vanguardistas

A la influencia de Piazzolla se deben cambios en las formaciones orquestales y en las poesías. Ejemplos de lo primero
son estas orquestas:

El pequeño conjunto de Astor Piazzolla, que se integró con
él en bandoneón, Pablo Ziegler en piano; Héctor Console en contrabajo y Fernando Suárez Paz en violín.

La orquesta de Piazzolla, con él mismo al bandoneón,
Antonio Agri, Hugo Baralis en violín,
Néstor Panik en viola, José Bragato en
violoncello, Enrique Díaz en contrabajo y Osvaldo Manzi en piano.

El Sexteto Mayor, formado por
José Libertella y Luis Stazo en bandoneones; Mario Abramovich y Mauricio Mise en violines; Armando Cupo
en piano y Omar Murtagh en contrabajo.

Son también de ese período la
Orquesta de Tango de Buenos Aires,

Rodolfo Mederos

dirigida por Raúl Garello y Carlos García, que reunió a 28 maestros musicales y que remozó la época dorada de las grandes conjuntos y, en el extremo opuesto, el muy bien logrado trío de Beba Pugliese (piano), secundada por Guillermo Ferrer en contrabajo y Raúl Luzi en guitarra.

Quedan sin señalar varias agrupaciones orquestales continuadoras de la corriente vanguardista, pero que por muy variadas razones -no por falta de calidad musical o creatividad- tuvieron breves períodos de esplendor, pero que no dejaron testimonios musicales perdurables.

Sexteto Mayor

CUARTA PARTE .

DEFINICIONES PERSONALES

Dos creadores incomparables

De todos los nombres mencionados con anterioridad, hay dos que se destacan por sus características y significados propios y distintivos. Son los de Carlos Gardel y Astor Piazzolla.

Aceptemos en principio que el tango como tal se definió, en cuanto a música, letra y coreografía, entre 1880 y 1890. Transcurrido medio siglo, ya en la década de 1930, la personalidad y el canto de Gardel significaron un cambio trascendente.

Aproximadamente medio siglo más tarde, Astor Piazzolla determinó un nuevo cambio, similar por su profundidad al generado por Gardel, sólo que ahora sobre la base de su creatividad musical.

Ambas transformaciones han tenido la particularidad de haber superado etapas agotadas en sí mismas, con posibilidades de convertirse en obsoletas si desde dentro no se producían cambios renovadores y revitalizadores.

En el caso de Gardel, a pesar de los muy buenos y personales cantores contemporáneos (Magaldi y Corsini, por ejemplo), su actuación significó un corte transversal con todo el pasado, ya que inauguró una forma de cantar e interpretar las letras. Por algo se coincide en decir que Gardel es el modelador moderno del tango canción. A ello hay que agregar la difusión que logró para el tango a lo largo y a lo ancho de todo el mundo, superando limitaciones de idioma, cultura y modalidades.

Algo parecido ha ocurrido con Piazzolla, puesto que su música superó los límites argentinos, americanos y aun europeos, para adentrarse firmemente en un nivel calificable, sin exageraciones, como universal, con la particularidad de ser aceptado,

Carlos gardel

respetado e incesantemente buscado a nivel popular y académico.

Piazzolla confirió al tango una calidad que le ha dado proyección y jerarquía de música *culta, clásica,* sin dejar de ser básicamente tango, objetivo en el que superó a todos sus antecesores.

Estos fenómenos no son ocurrencias esporádicas, carentes de raíces, que ocurrieron por generación propia. En el caso de Gardel, la sociedad argentina en la que estaba viviendo manifestó, en lo material y en lo espiritual, el deseo de salir de la etapa semicapitalista, para adentrarse y afirmarse en una economía y en un sistema de caracteres decididamente capitalistas, forma colateral de integrarse al sector del mundo que cada día tenía mayor preponderancia en el concierto de las naciones.

Este proceso de modificación estructural fue consecuencia de los cambios ocurridos a partir de las transformaciones ocasionadas por la Primera Guerra Mundial, que provocaron una vuelta de campana y sacudieron los cimientos de la sociedad prevalente hasta 1914 (la *belle époque* de la burguesía capitalista europea).

Si bien la Argentina siguió basando su economía en la producción agropecuaria, nuevas formas de comercialización y transformación industrial cambiaron el eje de la actividad, al desplazar al campo por el gran centro urbano que ya era Buenos Aires.

Fue entonces cuando los temas camperos o nativistas, aun sin desaparecer por completo, quedaron relegados, para centrarse casi con exclusividad en los netamente urbanos.

Sin embargo, hay que reconocer que muchos de ellos tienen raíces nativistas y/o camperas, pero las maneras de expresarlas fueron las del tango.

El haber intuido ese proceso sociológico es el gran mérito de Carlos Gardel, que lo acompañó con horas de estudio y perfeccionamiento vocal, a pesar de las limitaciones técnicas imperantes en la propagación y en la grabación de la voz y la música

En el caso de Piazzolla, la sociedad argentina estaba afectada por las consecuencias de la Segunda Guerra Mundial y por la llamada Guerra Fría, que ya en su proceso de liquidación, anunciaba la caída del muro de Berlín y la nueva época de la globalización.

Por supuesto que lo anterior no significa que ambos intuyeran o sospecharan en profundidad, y mucho menos que hubieran estudiado económica ni políticamente, la inminencia de los cambios indicados, pero sí que supieron interpretar los síntomas premonitorios de las nuevas épocas que se gestaban día a día, y que pasaban desapercibidos para la mayoría de sus contemporáneos.

Por eso, además de innovadores deben ser considerados precursores, el uno en el canto y el otro en la música.

Ya nadie canta en el estilo anterior a los años que van desde 1917 hasta 1920, de la misma manera que se han dejado de lado las composiciones del tango campero, porque la primera carece de adeptos y la segunda, de contenido social.

Astor Piazzolla

De la misma manera ya no se componen letran ni músican al estilo clásico, pues la sensibilidad ha cambiado tanto que no hay receptores para semejantes mensajes, salvo en actuaciones de *revival*.

La tendencia actual está explorando todos los días nuevas maneras de manifestación en la música y la canción, superando los límites alcanzados por estas dos personalidades innovadoras.

Es posible que estemos en vísperas de una nueva etapa transformadora y generadora de formas musicales, coreográficas y poéticas, que ya está manifestando sus inicios en las a- grupaciones juveniles recientes de hombres y mujeres que nos están dando su manera de entender la música de Buenos Aires.

Una prueba de ello es que, para la mayoría de la crítica y los historiadores, el tango ha tenido siempre abrumador predo- minio masculino. Y, sin embargo, en la actualidad esa tendencia está cambiando, ya que incluso hay conjuntos integrados en su totalidad por chicas adolescentes y jóvenes que, en abierto des- afío al pasado, se proyectan hacia el futuro con valores propios.

Panorama general

Este panorama debe ser considerado dentro y fuera de nuestras fronteras. Dentro, para reconocer que los viejos límites de la música tanguera se han ido contrayendo por la influencia de la economía, las nuevas pautas sociológicas del diario vivir, la desaparición biológica de los músicos y letristas consagrados por tradición, la importancia que tienen en los medios audiovisuales las campañas publicitarias de empresas dedicadas a la propaga- ción y venta de músicas internacionales.

Paralelamente, se ha reducido de manera notable el núme- ro de locales diurnos y nocturnos para escuchar y bailar tangos, como inevitable consecuencia del eclipse de las grandes orques- tas.

No obstante, a pesar de todos los indicios negativos, el pa- norama actual del tango es promisorio, ya que existe un amplio sector popular que sigue gustando del tango tradicional y otro, no menor, del tango vanguardista.

La desaparición de los grandes conjuntos está compensada, a veces con largueza, con la edición en CD de lo mejor del repertorio de orquestas, solistas y vocalistas (con métodos actuales de regrabación se han rescatado ventajosamente, de los viejos discos de pasta, muy selectos y selectivos repertorios).

El panorama se completa con varios conjuntos femeninos que reverdecen, en nuevas composiciones modernas, los remotos esfuerzos de Paquita Bernardo y de Eve Bedrune, con buen suceso musical, tanto de crítica como de público.

Debe hacerse notar que hombres y mujeres cultores de esta música popular, entre 20 y 30 años de edad, en encomiable labor están creando un tango que puede ser considerado como nuevo, pues si bien recalan en su tradición romántica, agregan novedosas técnicas de composición y de interpretación, siguiendo las huellas de los mejores creadores de la década de 1940, las innovaciones de Piazzolla y -lo que en este momento es más valioso- las propias.

Para esta nueva generación no basta con seguir las pautas de este gran compositor, sino que es imprescindible evolucionar con propuestas actuales, ya que las anteriores están caducas y en vías de extinción.

Ya no se conforman con ser *piazoleros*, ahora necesitan y se exigen ser ellos mismos, con su sello creativo propio, con sus conceptos contemporáneos de cómo debe ser el tango en el día de hoy. Sin pretender acuñar para ellos un adjetivo calificativo, podemos decir, sin riesgo de error, que son saludablemente *iconoclastas*

Por eso, hay orquestas de jóvenes varones, de jóvenes mujeres y las que los reúnen, brindando en cada caso estupendas creaciones o interpretaciones de los clásicos de todas las épocas, pero renovados con sus criterios actuales, haciéndolos frescos, nuevos y atrapantes.

Ante la situación actual de bullente actividad creativa, conviene recordar lo publicado por *Caras y Caretas* en 1903, cuando afirmó que el tango estaba muerto.

Errónea aseveración que se ha ido reiterando en el tiempo y que, en todos los casos, ha tenido la vital desmentida de una expresión romántica y musical del alma popular, anónima, capaz de resistir, renovarse y redefinirse prodigiosamente.

Como ahora, en que late con enorme fuerza en todos nosotros, que nos sentimos conmovidos cada vez que oímos la música o la poesía de un tango, sin importar el tiempo ni el nombre de sus creadores.

QUINTA PARTE .

ALGUNOS CREADORES DEL TANGO

AGRI, Antonio P.
(1932-1998)

Violinista de amplia y sólida cultura musical, puesta de manifiesto en las interpretaciones de las composiciones de su autoría o en las ajenas, lo cual se evidencia en las numerosas grabaciones que ha realizado. En 1961 creó el Quinteto de Cuerdas Agri, llamado posteriormente Quinteto de Cámara, que se mantuvo hasta poco tiempo antes de su muerte. Su incorporación al tango se remonta a 1962, cuando actuó en la orquesta de Alfredo Gobbi (h). Ha realizado extensas giras por varias naciones americanas, entre ellas Estados Unidos. Cubrió asimismo una exitosa temporada en Italia, donde fue contratado por la RAI. Miembro de varias orquestas típicas, se destaca su participación en la de Piazzolla a partir de 1973 (son relevantes sus arreglos, precisamente para Piazzolla, de *Otoño porteño, Romance del ángel, María de Buenos Aires y Retrato de Alfredo Gobbi*). En 1976 organizó su propia orquesta de arcos, con renovado éxito en cada presentación realizada. También integró las agrupaciones de Mariano Mores y Horacio Salgán (Quinteto Real). Su ductilidad se puso de manifiesto al actuar con igual brillantez en conjuntos tan particulares como los de Piazzolla, Troilo, Federico, Fresedo y la Orquesta Estable del Colón.

AIETA, Anselmo A.
(1896-1964)

Debió intercalar los estudios primarios con los trabajos más variados. Así, fue lustrador ambulante, mensajero, vendedor de diarios, obrero en una fábrica de cigarrillos. Ello no le impidió estudiar el bandoneón, al principio de oído y luego con el Tano Genaro. Fue bandoneonista de Canaro, con quien estuvo seis años, aprendiendo técnica musical y rudimentos de dirección orquestal. Cuando dejó a Canaro, organizó su propio conjunto, con el que obtuvo gran éxito. Compositor prolífico, ha creado más de 300 temas, entre valses, milongas y tangos. De estos últimos es posible mencionar, en apretada síntesis, los siguientes: *La primera sin tocar, El huérfano, Alma en pena, Tus besos fueron míos, Siga el corso, Suerte loca, Prisionero, Carnaval,, Príncipe, Mentirosa, La chiflada, A la criolla, Pavadita, Corralera, Bajo Belgrano, Penitencia, Tan grande y tan zonzo, Que lo larguen, Corrientes, Mariana, Aparcero.* A los que hay que agregar el vals *Palomita blanca,* que constituyó un suceso popular en su época y que perdura aún en la memoria de los músicos y coleccionistas. Los más trascendentes de estos temas tuvieron letra de Francisco García Jiménez.

AROLAS, Eduardo
(1892-1924)

Se inició como guitarrista, para luego decidirse por el bandoneón, instrumento a través del cual se manifestó como un verdadero creador. Se inició profesionalmente en los boliches de la Boca, al tiempo que trabajaba como dibujante. A los veinte años decidió dedicarse de lleno a la música, por lo que se puso a estudiar con un profesor y adquirió un café muy popular, en el que actuaba en compañía de algunos músicos ocasionales o más o menos permanentes, como Ponzio y Thompson. Al mismo tiempo iniciaba su época de grabaciones en varios sellos discográficos. Durante 1917 actuó en el café Apolo, acompañado por músicos cuyos nombres perduran en la historia del tango: Julio De Caro, Juan Carlos Cobián, Rafael Tuegols, entre otros. Se afincó posteriormente en París y allí continuó con sus exitosas presentaciones en los principales escenarios del tango. Afectado en su salud por una dolencia pulmonar y su irreversible afición a la bebida, falleció a fines de setiembre de 1924. Ha dejado la música de tangos trascendentes: *Derecho Viejo, La guitarrita, Comme il faut, Catamarca, Argañaraz, La Cachila, Adiós Buenos Aires, Una noche de garufa, El rey de los bandoneones, Bien tirao, Rawson, Retintín, Cardos y El Marne,* dentro de una notable producción, que supera las 120 composiciones. Aunque había estudiado música, Arolas era incapaz de leerla y escribirla, por lo cual los pocos tangos que han subsistido con partituras, provienen de amigos que las transcribieron. Suplió esa deficiencia mediante la grabación de 75 piezas, por lo que la mayoría de sus temas se han salvado del olvido y, al mismo tiempo, es posible apreciar la calidad musical que distinguía a sus ejecuciones.

BAFFA, Ernesto G.

(1932-)

Su aparición como bandoneonista profesional ocurrió cuando tenía 16 años, y se presentó entonces con la orquesta de Héctor Stamponi. Al desvincularse integró sucesivamente las de Alberto

Mancione, Alfredo Gobbi (h) y Pedro Laurenz, Después le dio acompañamiento musical a Alberto Marino, y más adelante formó parte de la orquesta de Horacio Salgán. En 1956 se incorporó al conjunto de Anibal Troilo, con quien estuvo catorce años. Entonces se vinculó con Osvaldo Berlinghieri, con quien -y en forma paralela- formó un trío musical, completado con Fernando Cabarcos. Poco después se agregó la voz del Polaco Goyeneche. Con ambas grabó numerosos temas y, por iniciativa del sello RCA, al conjunto nuevo se lo llamó La Típica Argentina. La vinculación musical con Berlinghieri duró hasta 1970, luego de lo cual Baffa continuó con su propio conjunto, hasta que en 1995 se volvieron a reunir para actuar juntos. Autor de tangos como *Con todo el corazón*, *Porteñera*, *Color de tango*, *El conventillo*, *Más allá del bandoneón*, *El resuello*, *Chumbicha*, *y Mato y voy*, Baffa es un creador e intérprete vanguardista que no por ello ha renegado de la tradición.

BARALIS, Víctor Hugo
(1914-1989)

Integró numerosos conjuntos orquestales, a partir de su integración a la orquesta de Minotto, de la que pasó a otras como las de Astor Piazzolla -con quien ha dejado numerosas placas grabadas-, José Basso, Mario Francini, el Octeto Buenos Aires o en los conjuntos que actuaron bajo su dirección musical. Estuvo durante cinco años con Anibal Troilo, acompañó a Alberto Marino y fue miembro de la orquesta de Julio De Caro. Viajó al Japón, en donde fue muy aplaudido. Se vinculó nuevamente con Piazzolla en 1972. Realizó entonces presentaciones en Brasil, Venezuela e Italia (allí grabó en la RAI). En 1973 volvió a dirigir su propia agrupación, presentándose en numerosos recitales, a la vez que reiteraba las actuaciones en locales nocturnos, radios y T.V. Creador de tangos que perduran por su jerarquía musical, como *Quién diría* y *Anoné,* Baralis fue un violinista excepcional, que se destacó por su capacidad interpretativa y su impecable gusto, evidenciado plenamente en sus recordados solos.

BARDI, Agustín

(1884-1941)

Primero fue guitarrista, después violinista y, finalmente, pianista. Como violinista se incorporó a un ignoto trío que se presentaba en un bar de la Boca. Después formó parte del cuarteto del Tano Genaro y con él actuó en los principales cafés porteños. En una de esas actuaciones se le ocurrió sentarse al piano. Y desde entonces, principalmente a fuerza de intuición y talento natural, el piano fue su instrumento. Muchas de sus composiciones, especialmente las iniciales, exhiben el enlace entre la presencia criolla de las músicas imperantes en la época y el nuevo ritmo ciudadano que se estaba imponiendo. El propio Bardi declaró alguna vez que sentía al tango con esencia campera. Esa condición se filtra, casi como un aire pampeano, por los pliegues de la belleza melódica de sus tangos, entre los que cabe destacar *Lorenzo, Qué noche, Tierrita, Cabecita negra, Chuzas, El abrojo, Gallo ciego, El paladín, Nunca tuvo novio, El pial, La guiñada, El buey, La última cita, El baqueano, El buey solo, Tinta verde, No me escribas* e *Independiente Club.*

BASSO, José H.
(1919-1993)

Comenzó estudios de ingeniería, los cuales abandonó para incorporarse como pianista a la orquesta de Juan Sánchez Gorio, con la que se presentó en los bailables de Carnaval en 1932. Tuvo su propia orquesta entre 1937 y 1941, año en el que se integró a la de Anibal Troilo. Al desvincularse, secundó a Alberto Castillo. Luego formó su segunda agrupación, con la que actuó en la mayoría de los escenarios porteños, grabó, se presentó en radios y T.V. Su discografía totaliza 320 composiciones y se extiende entre 1949 y 1986 (muchas de esas grabaciones han sido recicladas y llevadas al CD). De sus obras como compositor es posible recordar *Me están sobrando las penas, Rosicler, Viejo café, Qué vas buscando muñeca, El pulguita, Milonga de Albornoz y Milonga para los orientales*, éstas con letra de Jorge Luis Borges. Sus cantores fueron figuras muy queridas por el público, como Floreal Ruiz, Jorge Durán y Roberto Florio.

BAZAN Juan Carlos
(1887-1936)

Formó parte, como clarinetista, de la primera orquesta del Pibe Ernesto, en 1903. De ella pasó a la de Eusebio Azpiazu y se incorporó posteriormente a la agrupación dirigida por Roberto Firpo, que actuaba en el velódromo palermitano. Con su propio conjunto debutó después en el Teatro Nacional, con la compañía

Vittone-Pomar, en espectáculos teatrales. Algunas de sus composiciones: *La chiflada, Pampa, Pétalos, La timba, Club Puey-
rredón, Bota de potro, Filito, La vasca, Palais de Glace, La
bolada, El chiquilín, Suspiros y Tallando.*

BERLINGHIERI, Osvaldo D.

(1928-)

Pianista de sólida cultura musical y depurado gusto artístico, se
inició acompañando a solistas vocales para luego incorporarse a
varias orquestas de nota. Realizó giras extensas por lugares de
tanta disparidad como Bolivia y Arabia, siempre integrando conjuntos dirigidos por otros músicos. En 1956 lo incorporó Anibal
Troilo, al que acompañó al piano hasta 1968, logrando imprimir
a las ejecuciones un estilo distintivo, equilibradamente compati-
ble con el estilo del director. Esto se puede comprobar en las
numerosas grabaciones dejadas en varios sellos. Paralelamente,
actuó en conjuntos menores en número de ejecutantes, pero de
gran calidad musical, y con Baffa y Cabarcos integró un trío al
que se agregó la voz del Polaco Goyeneche. Por iniciativa de
RCA, al conjunto se lo bautizó La Típica Porteña. Este conjunto
grabó y actuó asiduamente en los más cotizados lugares nocturnos. Entre 1970 y 1978 integró el conjunto llamado Tango Argentino. Es autor de *A mis amigos, Ciudad dormida, El último
bohemio, Pesadilla extraña, Quiéreme, Contacto en Buenos
Aires, Siempre Buenos Aires.* A partir de 1975 se radicó en
México. Años después regresó a Buenos Aires y se presentó con
su propio conjunto en recitales, locales nocturnos y junto a
Baffa, nuevamente en recitales preparados para dar espectáculos
de tango con cantores y bailarines. En 1995, junto con Baffa,
preparó un retorno a la noche, presentándose entonces en el Café
Mozart.

BERNARDO, Paquita

(1900-1925)

Dada su corta vida, su biografía es muy breve, pero a la vez muy importante para el tango, ya que fue la primera bandoneonista. Además se ubicó, por méritos propios, en lugar destacado dentro de un ambiente machista y malevo. Nacida en Villa Crespo, se educó políticamente en el Ateneo Anarquista, en donde aprendió los rudimentos del feminismo de principios de siglo, al tiempo que estudiaba música en un conservatorio barrial, siguiendo –para su aprendizaje bandoneonístico- el método de Augusto P. Berto. En 1918 se unió musicalmente con el violinista José Yanussi. Más tarde, integró un trío con el violín de Alberto Pugliese y la guitarra de Hortensio de Franco (actuó entonces en numerosos escenarios, muchos de ellos no muy recomendables). En 1921 formó la Orquesta Paquita, integrada con nombres trascendentes, como los de Osvaldo Pugliese en piano y Elvino Vardaro en violín. Con ella debutó en el Bar Domínguez, ante la la admiración y la sorpresa del público, no acostumbrado a la presencia, en el tango, de una mujer como ejecutante y directora. Es autora de los tangos *Floreal, Cachito, La enmascarada y Soñando*, a los que hay que agregar algunos valses. Los dos últimos fueron grabados por Gardel. Su nombre civil fue Francisca Cruz Bernardo.

BERNSTEIN, Arturo H.
(1882-1935)

Nació en el Brasil y llegó a Buenos Aires en su niñez. Se inició profesionalmente en presentaciones esporádicas en bares y cafés de Barracas (1903), ejecutando varios instrumentos de cuerdas, que abandonó luego para dedicarse exclusivamente al bandoneón, al que llegó a dominar con maestría. Asentó su prestigio desde los bares de la Boca hasta los del Centro, en una trayectoria que inició como solista para integrar luego conjuntos como el de Juan C. Cobián, (1920), al que dejó para seguir tocando en otros, con giras por el Interior, que alternó con la dirección de su propia academia musical. Es autor de los *tangos Plus Ultra, El pangaré, Mala suerte, La carambola, No hay partido sin revancha, Rama caída y La gaita,* entre otros.

BERNSTEIN, Luis
(1898-1966)

Bonaerense, ejecutante de varios instrumentos Se inició, como su hermano Arturo, en bares y cafés de Barracas y la Boca. Con el cambio ocurrido en las orquestas dejó la guitarra por el contrabajo, actuando como tal con Arolas, Aieta y otros conductores de ese nivel. Es autor de los tangos *El Vasquito, Don Goyo, Muchacho loco, El abrojito, Mar del Plata,* y *La casita está triste.*

BERTO, Augusto P.

(1889-1953)

Apenas completados sus estudios primarios inició el del bandoneón. Trabajó como decorador y en los ratos libres como guitarrista o mandolionista, instrumentos aprendidos por sí solo. En 1904 integró la orquesta Los Defensores de Villa Crespo, en la que actuaban el pardo Sebastián (Sebastián Ramos Mejía), Domingo Santa Cruz y Juan Maglio *Pacho*. Luego integró un cuarteto con el que estrenó su primer tango, *La Payanca*. (1906). Para completar sus ingresos trabajó en las tareas de decoración en el Congreso Nacional, donde conoció a Francisco Canaro. Durante esa época desarrolló el aprendizaje del bandoneón, recibiendo lecciones de José Piazza. En 1913 inició sus presentaciones en escenarios de teatros porteños, con tal éxito que debió formar dos orquestas para atender los contratos en locales diferentes. En 1926 acompañó a Camila Quiroga en su gira por el Exterior, visitando Estados Unidos y países latinoamericanos y europeos. *La oración, La camorra, Cómo me gusta, Caballo de bastos, Qué bronca, Mitad y mitad, Matilde, Humita, Qué dique, Perjura, De pura yerba, Tu cuna fue un conventillo, Belén, El periodista, No interesa, El gauchito, Cuentos andaluces, Templo gaucho y La cruz del* recuerdo son títulos destacados dentro del total de su producción musical, constituida por 54 tangos, 8 valses y 9 composiciones varias. Su discografía suma 155 registros.

BETINOTI, José

(1878-1915)

Porteño. Payador. Uno de los últimos que calaron hondo en el alma popular. Cantó y payó en cafés y pulperías de los barrios, pero tenía preferencia por el Café de los Angelitos. Fue convocado para grabar sus poesías en los mejores sellos de la época. Ha publicado varios libros de poemas Es autor de *Tu diagnóstico, Pobre mi madre querida y Qué me habrán hecho tus ojos.* Con el acompañamiento de la guitarra, sabía llegar al corazón de los oyentes. Sus improvisaciones tenían un hondo sabor porteño. El pueblo hizo levantar un monumento a su memoria en el cementerio de la Chacarita. Su vida fue llevada al cine en la película *El último payador*, protagonizada por Hugo del Carril. Dejó grabadas 46 composiciones.

BIAGI, Rodolfo A.

(1906-1969)

Comenzó a tocar como pianista acompañante de películas mudas en cines de barrio hasta que, cuando tenía sólo 14 años, ingresó al conjunto de Juan Maglio, que en ese momento actuaba en el café El Nacional. Pasó sucesivamente por varias orquestas, a la vez que actuaba como acompañante de vocalistas y grababa. Se incorporó luego a la orquesta de Juan Canaro y de allí pasó a la de Juan D´Arienzo, a la que logró imprimir el ritmo y el sonido pianístico que fue con el tiempo el sello distintivo del gran directór. Separado de la misma organizó su propia agrupación, con la que debutó en el cabaret Marabú, en 1938. Al mismo tiempo actuaba en varias radios porteñas, animaba bailes de barrio y de carnaval, dándose tiempo para grabar en Odeón y en Columbia. Es autor de la música de *Magdala, Tu promesa, Gólgota, Indiferencia y Humillación.* Su discografía abarca 187 grabaciones y se inició en 1927, para extenderse hasta 1956. Al mismo tiempo que se distinguió por su ritmo y su sonido, Biagi obtuvo el aporte de excelentes cantores. El primero de ellos fue Teófilo Ibáñez y el último Hugo Duval (se destacaron entre todos Carlos Saavedra, Jorge Ortiz y Carlos Acuña). Por su agilidad y digitación se lo llamó Manos Brujas.

BLAZQUEZ, Eladia

(1931-)

Se inició como cantante de ritmos hispanos, para luego volcarse al género melódico y finalmente al tango. Es autora de *Sueño de Barrilete, Mi ciudad y mi gente, Domingos de Buenos Aires, Sin sol, Qué buena fe, María de nadie, Desnuda la ciudad, Retazos, Cerrame la ventana* y *Amor sin aventura,* entre muchos temas de gran éxito.

BLOMBERG, Héctor P.

(1889-1955)

Porteño. Letrista. Integró, como periodista, la redacción de diarios y revistas literarias de primer nivel como Caras y Caretas,

Martín Fierro y El Hogar. Ha publicado varios libros de poesía, entre los que se destacan *La Pulpera de Santa Lucía, Bajo la Cruz del Su*r y *Los poetas de la Tiranía,* a los que acompañan obras en prosa, como *La Mulata del Restaurador, Los Soñadores del Bajo Fondo,* etc. Esta producción literaria se complementa con obras de teatro, en algunas de las cuales colaboró Elías A-lippi. Sus tangos más destacados son *La mazorquera de Monserrat, La viajera perdida* y *La que murió en París.* Su canción más popular es, sin duda, el vals *La pulpera de Santa Lucía*

CABARCOS, Fernando H.

(1923-1978)

Porteño. Contrabajista. Enrolado en la línea vanguardista del tango integró conjuntos de valía, como el de Francini-Pontier, para continuar con este último y formar con Baffa y Berlinghieri un trío que se transformó en La Orquesta Porteña, para las grabaciones en Victor. En 1976 realizó una gira musical al Japón. Es autor de *Aerotango, Tan sólo por verte* y de algunos otros temas menos difundidos.

CADICAMO, Enrique D.

(1900-1999)

Como creador de letras de tangos, en los años iniciales de sus composiciones denota la influencia literaria ejercida por el grupo Boedo, como ha sido manifestado en sus libros *Canciones libres* y *La luna del bajo fondo.* Posteriormente, fue evolucionando hacia otras posiciones literarias y políticas, concentrándose en el tema y los personajes del tango. Contó con el apoyo de Gardel y por consecuencia, de muchos cantores de las décadas de 1920 y 1930, que le dieron a sus composiciones un amplio campo de difusión. Realizó varios viajes a Europa, donde se encontró con Gardel en los momentos de sus giras iniciales y cuando ya estaba consagrado, dejando de esos tiempos recuerdos y memorias que han llegado al público en forma de libros. Viajó a Estados Unidos, donde apreció las posibilidades que tenía la cinematografía, a la que más tarde prestó atención en sus actividades. Es también autor de argumentos teatrales que llegaron a ser representados. En los últimos tiempos ha sido distinguido con designaciones honoríficas de la Municipalidad de la Ciudad de Buenos Aires. Es autor de infinidad de tangos, pero los principales títulos son *Muñeca brava, Che papusa oí, Anclao en París, Madame Ivonne, Al mundo le falta un tornillo, Nieblas del Riachuelo, Cuando tallan los recuerdos, Pa´que bailen los muchachos, Tres amigos, Pompas, A pan y agua, Los mareados, Abran cancha, Cancionera, La luz de un fósforo, Calvario, Berretín, La casita de mis viejos, Llorar como una mujer, y Rondando tu esquina.* (Totalizó 1300, de los cuales 22 le grabó Gardel). *Al mundo le falta un tornillo,* con música de José María Aguilar, es de 1932. Fue grabado por Gardel al año siguiente, acompañado por guitarras, para el sello Odeón. Es otra manifestación condenatoria de la situación general que se vivía en esa década. A estas composiciones contribuyeron músicos como Cobián, Troilo, Bardi, Arolas, Pugliese, Maderna, De Caro, Demare, etcétera. Ha publicado en el último decenio algunos libros que contienen fragmentos de su prolífica vida, el último de los cuales ha sido presentado en televisión. Como ejemplo de la importancia de los tangos de Cadícamo se agrega esta sintética historia de sus grabaciones iniciales: *Anclao en París* tiene música de Guillermo D. Barbieri y fue estrenado y grabado por Gardel en 1930. *Che Papusa, oí,* tiene música de Gerardo Mattos Rodríguez y lo estrenó Alberto Vila en Montevideo, siendo grabado por Gardel en 1928. Los versos de *Cuando tallan los recuerdos* fueron musicalizados por Rafael Rossi y estrenados por Alberto Marino con la orquesta de Anibal Troilo, quienes lo grabaron en 1943. *Los mareados* fue musicalizado por Juan C. Cobián, estrenado y grabado por Fiorentino con la orquesta de Anibal Troilo, en 1942.

CALO, Miguel

(1907-1972)

Las primeras lecciones de música, destinadas específicamente a un frustrado intento de dominar el violín, las tuvo de un carnicero amigo, pero luego cambió de maestro por otros que sabían más. Se inició como bandoneonista en el cine Independencia, en 1924. De allí pasó a actuar con Pracánico, que se presentaba en el cine Astral acompañando a Azucena Maizani. Para 1928 había logrado formar su propio conjunto, con el que realizó una corta temporada en España. Para 1929 organizó otro conjunto con el que se presentó en el cine Regio, actuando también en radios porteñas. Realizó una frustrada presentación en Estados Unidos, recibiendo ayuda de otros argentinos que estaban en Nueva York. De regreso a Buenos Aires, volvió a presentarse en el Regio y en radios, iniciando las grabaciones de discos. Desde entonces cuidó sobremanera la composición de su conjunto seleccionando tanto los instrumentistas, como los vocalistas. Algo parecido realizó respecto al repertorio, pues no incorporó lo que estaba de moda, sino lo que a su criterio tenía calidad musical. Por ello es posible anotar como intérpretes que actuaron bajo su dirección a Osvaldo Pugliese, Héctor Stamponi y Osmar Maderna como pianistas; Emilio Paiva como violoncelista; Mario y Alfredo Sciarretta como contrabajistas; Hugo Baralis, Antonio Rodio y Enrique M. Francini como violinistas y a Armando Pontier, Mario Demarco y Astor Piazzolla como bandoneonistas. Los vocalistas que lo acompañaron fueron varios y se destacan los nombres de Chola Luna, Roberto Rufino, Carlos Dante, Raúl Berón, etc. Realizó varias giras artísticas por el Interior y el Exterior, presentándose en la mayoría de los lugares en que el tango era difundido. Su presencia fue muy solicitada para animar los bailes de carnavales en muchos clubes barriales y de fútbol. Su discografía comprende 363 composiciones llevadas al disco y se inicia en 1932, para el sello Splendid, continuando en el Odeón hasta 1969, para terminar en el Embassy en 1972. Su labor autoral abarca más de sesenta composiciones, entre las que sobresalen *Qué falta que me hacés, Me llamo Anselmo Contreras, Ternura, Mimí, Voy pa´viejo, Melodioso,* dedicado a Osmar Maderna, *Cobrate y dame el vuelto, Que te lo diga Dios,* etc. Perteneció a una familia de músicos. Sus hermanos Antonio, Armando, Salvador, Juan y Roberto también descollaron en el tango, pero sin alcanzar la significación de Miguel.

CANARO, Francisco

(1888-1964)

Uruguayo. Radicado en Buenos Aires desde los dos años de edad. Siendo muy joven empezó a cultivar el tango, formando y dirigiendo conjuntos musicales. Violinista intuitivo, se ha destacado especialmente como compositor y empresario En este aspecto logró inicialmente un lugar importante al contratar lugares de bailes para los carnavales, porque tuvo que formar varios conjuntos simultáneos para cumplir con los contratos. En 1925 realizó una extensa y exitosa gira por Europa y Estados Unidos, donde se presentó con la orquesta y espectáculos bailables. De regreso, y siempre como empresario, incursionó con éxito de público y económico en el teatro y el cine nacional poniendo en escena o filmando producciones muy populares que le dieron prestigio al mismo tiempo que le permitieron lanzar a la consideración a actores, cantores y autores, sacándolos del anonimato y dándoles un lugar en la historia de esas actividades. En 1961 realizó un viaje al Japón, que resultó todo un suceso de popularidad y alabanzas. Entre los cantores que desfilaron por su conjunto figuran Charlo, Ada Falcón, Agustín Irusta, Roberto Maida y Ernesto Famá, que fue el que más se identificó con el estilo de la orquesta. Al mismo tiempo se destacan las voces de Carlos Gardel, Francisco Fiorentino, Nelly Omar e Ignacio Corsini, por los acompañamientos que les brindó. Entre los pianistas se destacó Mariano Mores, quien modernizó y logró cristalizar el ritmo sonoro y bailable. Su discografía se inició en 1915, grabando para el sello Atlanta y se extendió hasta 1964. En ese tiempo ha dejado grabaciones en Tele-Phone, Columbia, Odeón y las realizadas en Japón. actuando con su orquesta, con el Quinteto Don Pancho y el Quinteto Pirincho. La suma total de las mismas supera los 3800 títulos, comprendiendo todos los géneros cultivados por los conjuntos que dirigió. Sus composiciones superan los seiscientos cincuenta títulos, entre los que es posible entresacar *Pinta Brava, El chamuyo, El pollito, Charamusca, Federación, No la puedo olvidar, Niebla, Paja brava, Sentimiento gaucho, Se dice de mí, Tina, Yo no se que me han hecho tus ojos y Viviré con tu recuerdo.*

CASTELLANOS, Pintín
(1905-1983)

Más que músico de tango, este pianista uruguayo fue el creador y sostenedor del género de la milonga candombe, a través del que consiguió gran efectividad musical y rítmica, acoplando el piano a un complejo grupo de tambores. Se presentó en radios y locales montevideanos y argentinos y ha realizado giras artísticas por el interior de ambos países. Es autor de *El pirata, Ausencias, Viejos tiempos, Perversa, Besos de mujer, Cinco para el tango, Don Horacio, La puñalada, La estancia, Pintín y De galerita y bastón.* Se dejan de lado otras composiciones por lo extenso de la ennumeración. Su verdadero nombre era Horacio Antonio Castellano Alves.

CASTILLO, Alberto

(1914-2002)

Se inició en el canto en su época de estudiante, en la orquesta típica Los Indios, dirigida por Ricardo Tanturi (se recibió precozmente de médico, se especializó en ginecología y abandonó por el canto la que prometía ser una brillante carrera como terapeuta). Pronto, dejó el conjunto de Tanturi para actuar como solista, acompañado por distintos conjuntos. Fue un innovador en el estilo de cantar e interpretar las letras, al darles un énfasis y un color diferentes del que imperaba en el medio tanguero. Grabó 256 temas. Su popularidad fue tanta que incursionó varias en el cine, siempre con gran éxito de público. La exagerada marcación de su estilo, que tenía tantos adeptos, hizo olvidar sus excelentes dotes, ya que fue un cantor de muy buena afinación, amplio registro y una capacidad expresiva que le permitía interpretar igualmente temas rítmicos o cadenciosos, de temáticas arrabaleras o románticas.

CASTILLO, Cátulo

(1906-1975)

Parte de su niñez la vivió en Chile, donde se trasladó su familia, desde nuestra capital. De regreso inició el estudio del violín, pero al terminar el secundario se decidió por el piano. Fue un excelente atleta (boxeador preseleccionado para la Olimpíada de Amsterdam, de 1924). Como músico, a mediados de la década de

1920 realizó una extensa gira por Europa y el norte de Africa, para presentarse al poco tiempo dirigiendo una orquesta en Madrid y Sevilla. En 1931 volvió por segunda vez a Europa. De regreso de dedicó a la docencia y a la tarea de componer tangos y a colaborar con sus amigos, desde las letras o las músicas, como también en los espectáculos musicales presentados en teatros y salas, al mismo tiempo que incursionaba esporádicamente en el periodismo. Contribuyó en varias películas aportando letras para las canciones. Su obra autoral es muy extensa. Se inicia con *Organito de la tarde*, en 1923, teniendo la colaboración y apoyo de su padre y termina con *El último cafiolo*, poco antes de fallecer. De ella es posible extraer algunas composiciones importantes como son *A Homero* (Expósito), con música de Anibal Troilo, grabado por la orquesta de éste cantando el Polaco Goyeneche; *Anoche,* con la música de Armando Pontier, grabado por Luis Caruso con la voz de Walter Escobar en 1949; *El patio de la morocha*, con música de Mariano Mores. Fue grabado por Anibal Troilo, teniendo a cargo de los versos la voz de Jorge Casal, en 1951; *El último Café*, con música de Héctor Stamponi, grabado por José Basso y la voz de Jorge Durán en 1963. Posiblemente la mejor versión de este tango sea la registrada por Julio Sosa acompañado con orquesta. *Corazón de papel*, grabado por Gardel. *La calesita*, con música de Mores. Fue grabado por Juan D´Arienzo con Jorge Valdés en 1957; *La cantina* lleva música de Troilo y fue grabado por Alberto Marino en 1952. *Organito de la tarde,* que tiene letra de José González Castillo, su padre, fue grabado por Carlos Gardel en 1925. *La última curda*, a la que nuevamente Troilo puso música, grabándolo con la voz de Edmundo Rivero en 1956. *María,* también con música de Pichuco, grabada por Libertad Lamarque en 1946, acompañada por la orquesta de Alfredo Malerba. *Para qué te quiero tanto*, lleva música de Juan Larenza y fue grabado por Carlos Vidal cuando actuaba en la orquesta de Domingo Federico. *Patio mío*, nuevamente registra el aporte musical de Troilo. Fue grabado por Aída Luz, con la orquesta de Carlos A. Figari en 1952. *Se muere de amor,* con la música de Pedro Maffia. Fue cantado por Jorge Demare con la orquesta de Sebastián Piana en 1944. *Una canción*, nuevamente con la colaboración de Troilo, que lo registró en 1953, teniendo la participación vocal de Jorge Casal y finalmente el tango-milonga *Tinta roja,* que lleva música de Sebastián Piana. Fue grabado por Fiorentino cuando cantaba con Troilo, en 1941. En 1974 fue declarado Ciudadano Ilustre de Buenos Aires, y al año siguiente, fue distinguido con el premio del Fondo Nacional de las Artes, como reconocimiento a su producción musical..

CENTEYA, Julián
(1910-1974)

Su larga trayectoria tuvo principio cuando integró colateralmente el grupo Boedo, del que luego se apartó para adentrarse más en un lunfardo sencillo y decidor, opuesto a ciertos esteticismos inciales que, sin embargo, nunca abandonó del todo. Fue parte de la redacción de Crítica, El Mundo y publicaciones periódicas dedicadas a lo artístico y musical. Ha dejado publicados varios libros en prosa y y en verso, con textos lunfardescos. A las letras de sus tangos, que superan el medio centenar, las musicalizaron músicos como Enrique Delfino y otros de similar nivel creativo. Fue director de programas en la radio y la televisión. Sus títulos más sobresalientes son *La vi llegar, Claudinette, Felicitas y Más allá de mi rencor.* El primero lleva música de Enrique M. Francini y fue grabado por Troilo cantando Marino en 1944. Con este tango ganó el concurso organizado por Radio El Mundo. Claudinette, pequeña joya que tiene música de Delfy, fue grabado por Héctor Mauré, cuando cantaba con Juan D´Arienzo, en 1941. Utilizó en muchas de sus publicaciones seudónimos como el de Enrique Alvarado. Había nacido en Italia, y su verdadero nombre era Amleto Enrique Vergiati

CHANEL, Roberto

(1914-1972)

Porteño. Cantor. Si bien se conocían sus habilidades como músico capaz, su fama de cantor oscurcció ese aspecto. Se consagró en el gusto popular durante el tiempo que estuvo con Osvaldo Pugliese, con quien dejó grabaciones antológicas por el sonido vocal, el buen gusto en el decir y el ritmo con el que se acoplaba a la orquesta. Luego pasó por varias otras, reiterando siempre esa calidad. Es autor de *Mambo, Escúchame Manón, La baraja, Corrientes bajo cero y Hoy la espero a la salida.* Se llamaba Alfredo Mazzocchi.

COBIAN, Juan Carlos

(1896-1953)

Se presentó como pianista en el cine Las Familias, de la calle Santa Fe, pasando a tocar luego con el Tano Genaro en bares de la Boca, para incorporarse después a la orquesta de Eduardo Arolas y actuar en el Pigall. En 1922 viajó a Estados Unidos, donde -obligado por el ambiente- hizo jazz. Regresó en 1929, presentándose ante el público porteño al frente de una orquesta de 18 profesores para tocar jazz, en el Teatro Avenida. Luego ingresó a las compañías de revistas, donde permaneció poco tiempo. Es autor de los siguientes tangos *El motivo, Salomé, Mi refugio, El orejano, Shusheta, La casita de mis viejos, A pan y agua, El botija, Mosca muerta, Mujer, Biscuit, Los dopados* (luego rebautizado como Los Mareados), *El cantor de Buenos Aires, Almita herida, Cambiá de vida, Ladrón, Hambre, Mi madrigal, Muñeca cruel, Nostalgias, Niebla del Riachuelo, Sea breve, Pico de oro, Lamento pampeano, Flor de loto, Reo, Divagando* y algún otro que escapa a esta enumeración. *El Motivo*, su primer tango, lo compuso en 1914, fue estrenado por Arolas en el cabaret Monmartre, siendo grabado por Gardel en 1920, registrado bajo el nombre de *Pobre Paica*. Tiene grabados 78 temas.

CONTURSI, José María
(1911-1972)

Sus comienzos en el ambiente se remontan a su actividad como locutor radial, desempeñada en forma paralela a su empleo en la administración pública. Posteriormente fue periodista en varias publicaciones. Sus letras reflejan el mundo y el ambiente que conoció, en lenguaje culto, alejado del lunfa popular. Es autor de más de cien tangos, algunos de los cuales alcanzaron gran popularidad. Entre ellos es posible señalar *Tormento, Frío, Esclavo, Al verla pasar, Más allá, Evocándote, Distante, Toda mi vida, Mi tango triste, Verdemar y Cristal. Cristal,* con música de Mariano Mores, ganó el primer premio de tangos organizado por una firma comercial de primera línea y fue grabado por Anibal Troilo, cantando Alberto Marino, en 1944. *En esta tarde gris*, con música de Mores, también fue grabado por Troilo, con la voz de Fiorentino, en 1941. *Gricel*, continúa la línea musical de Mores, y la grabación fue hecha por Troilo, con Florentino, en 1942. *Mis amigos de ayer* tiene acompañamiento musical de Francisco Lomuto y fue grabado en 1945 por Francisco Canaro y la voz pertenece a Guillermo Coral. *Toda mi vida* fue musicalizado por Troilo y grabado por Alberto Castillo en el año 1943, siendo la primera pieza grabada por este cantor, y *Verdemar,* completado por Carlos Di Sarli, fue grabado por él, con la voz de Roberto Rufino, en el año 1943. Hijo de Pascual Contursi, colaboró en el guión de la película *Mi Noche Triste,* que es precisamente el relato de la vida paterna.

CONTURSI, Pascual

(1888-1932)

La crítica especializada le atribuye la creación del tango canción. Su infancia, dura y de trabajo, transcurrió parcialmente en Montevideo –su familia se trasladó allí desde Buenos Aires-, en donde continuó con las presentaciones que muy tempranamente había iniciado ya en la Argentina como cantor, acompañado por su propia guitarra. A partir de 1918 se vinculó al teatro del género chico porteño, mediante la creación del argumento de varias piezas que llegaron a ser representadas. Realizó tres viajes a París, en 1921, 1927 y 1930. Sus composiciones literarias están expresadas en el lenguaje popular que conocía y dominaba, con el agregado de muchos términos lunfas, lo que les da un sabor muy especial a las letras de los tangos que salieron de su inspiración. A ello hay que agregar que en sus primeras producciones se produce el entronque entre la influencia del habla rural con el habla urbana. Es autor de *Lita,* con música de Castriota, posteriormente llamado *Mi Noche Triste* y estrenado por Gardel, *Ivette,* le siguieron en el tiempo, *Champagne tangó, El cachafaz, La biblioteca, Amores viejos, De vuelta al bulín, Pobre paica, La mina del Ford, Flor de fango, Qué querés con esa cara, Ventanita de arrabal, Bandoneón arrabalero La percanta está triste.* Otra de sus composiciones, *Qué lindo es estar metido,* fue realizada junto a Domingo Parra y lleva música de Enrique Delfino, quien lo grabó, cantando Carlos Dante, en 1946. *La Cumparsita,* compartiendo la letra con Enrique P. Maroni y con música de Gerardo Mattos Rodríguez, fue grabado por Gardel en

1924, acompañado con guitarras. A la música, el dúo le puso letra sin estar autorizado por el creador de la música y le pusieron el nombre de *Si Supieras*. Esta versión fue estrenada en 1924 durante la representación del sainete Un Programa de Cabaret. *Bandoneón Arrabalero* tiene letra de Juan B. Deambroggio, apodado Bachicha, y fue grabado por Gardel en París, en 1928.·

CORSINI, Ignacio A.

(1891-1967)

Poco después de haber llegado –muy joven- de su Italia natal, se inició en circos, pasando por varias compañías y realizando giras por el Interior. En 1918 ingresó a la de los Podestá, actuando en el Teatro Politeama, presentándose como actor y cantor en numerosas representaciones, ascendiendo a la categoría de primer galán, logrando la consagración en la representación de la pieza El Bailarín del Cabaret. Continuó su carrera de actor en varias otras compañías hasta que en 1928 se independizó como cantor, presentándose en el Astral, con lo que se inicia su verdadera carrera de cantor de motivos populares, entre los que se encuentra el tango. En 1934 logró un éxito rotundo al cantar con Francisco Canaro en la obra La Canción de los Barrios, original de Ivo Pelay. Su popularidad le valió que a partir de 1935 se le llamara El Príncipe de la Canción Porteña. Actuó al mismo tiempo en el cine y el teatro nacional, lo mismo que en las emisoras radiales, y cada presentación fue un nuevo logro de popularidad. A partir de 1949 se retiró definitivamente de la actividad musical. Su discografía comprende 642 composiciones. El público y la crítica lo llamaron El Caballero Cantor.

CHARLO
(1906-1990)

Pianista, compositor y cantor pampeano. Llegó a Buenos Aires después de cumplir sus estudios primarios y musicales, para actuar en el ambiente artístico. Su debut se concretó en radios porteñas, para continuar en el teatro y luego como cantor de diversos conjuntos orquestales. Realizó a mediados de la década de 1930 giras a Montevideo y ciudades del Brasil. Fue protagonista de varias películas (Carnaval de antaño, Bandoneón y Puerto Nuevo), al tiempo que continuaba actuando ante los micrófonos de distintas emisoras. Se alejó de Buenos Aires para actuar en Portugal y de allí seguir a España, donde por los compromisos artísticos, como fueron películas, grabaciones, espectáculos y obras de teatro, debió permanecer varios años, prolongando sus presentaciones en giras por ciudades españolas del interior. Terminado este ciclo se presentó con renovado éxito en Venezuela y Colombia. De regreso a Buenos Aires continuó cantando, acompañado en este nuevo tiempo por distintos conjuntos musicales, en radios, espectáculos, recitales, giras barriales y por el interior. Es autor de numerosas composiciones (64 entre las instrumentales y las cantadas). Sobresalen *Tormento, No hay tierra como la mía, Rondando tu esquina, Ayer y hoy, Adiós, Dios te salve, Ave de paso, Rencor, Zorro plateado, Cobardía, La barranca*, y otras que escapan a esta breve enumeración. Su discografía es muy extensa, ya que abarca 1080 títulos, y se inicia en 1925 en el sello Electra, grabando acompañado de guitarras; lo mismo hizo en las grabaciones de RCA Victor en ese año, para continuar en 1928 con las grabaciones registradas en el sello Odeón con la orquesta de Francisco Canaro, de Francisco Lomuto y con acompañamiento de guitarras. Siguió en el mismo sello, hasta que en 1931 grabó nuevamente en Victor con guitarras, con la Orquesta

Típica Victor y la de Adolfo Carabelli. En 1951 grabó para Columbia, con orquesta. Tres años más tarde lo hizo en España para el sello Carrillón, acompañado por orquesta. Finalmente grabó en 1967, acompañado al piano por él mismo y su orquesta, en el sello Music Hall. Su verdadero nombre era Carlos José Pérez de la Riestra.

DANTE, Carlos

(1906-1985)

Carlos Dante Testori se inició como solista cantando en cines, para luego ser parte de la orquesta de Anselmo Aieta, siguiendo en la de Pedro Maffia, Juan D´Arienzo, Juan y Rafael Canaro. Realizó dos giras por Europa, en la década de 1920. En 1936 se unió a Pedro Noda, formando el dúo Dante-Noda, que tuvo su etapa de popularidad. Luego cantó para el conjunto de Miguel Caló, dejando grabaciones que aún en la actualidad son buscadas, por su calidad y su sonoridad vocal. Pasó más tarde a cantar con Elvino Vardaro, interviniendo en la película Muchachos de la ciudad. Siguió luego actuando en la orquesta de Alfredo De Angelis, del que se desvinculó para tener su propio conjunto. Es autor de las letras de *El retrato de los viejos, Yo sé de tu tristeza, Primer beso, Me has ganado el corazón y Esta noche me despido.*

D´ARIENZO, Juan
(1900-1976)

Violinista, compositor y director de orquesta cuya iniciación en grupos juveniles cedió rápidamente paso a presentaciones teatrales, como integrante de la compañía Arata-Simari-Franco. Tuvo además un período en el que incursionó en jazz y ritmos centroamericanos, para regresar definitivamente al tango, presentándose en cines que proyectaban películas mudas. Superada esta etapa formó su propia orquesta, lo mismo que las grabaciones, brindando un ritmo más ágil que el pausado que predominaba. Con la incorporación de Rodolfo Biagi, logró alcanzar el ritmo rápido y electrizante que cautivó al público, brindando oportunidad a los bailarines más hábiles para el lucimiento en las pistas de bailes barriales. Cada presentación fue la convocatoria a grandes públicos que se disputaban los lugares para oír y bailar. Esto le valió ser llamado El Rey del Compás y convocado por las radios porteñas, las grabaciones incesantes y las giras externas e internas. En el momento de su mayor esplendor como director de orquesta, se lo consideró como uno de los más eficaces intérpretes de la música popular, ganando difusión en los distintos círculos culturales, de modo muy especial por sus reiteradas presentaciones radiotelefónicas. Con el prestigio ya consolidado hizo del cabaret Chantecler el lugar casi central de sus presentaciones. Participó en la filmación de Melodías Porteñas, en 1937; Yo quiero ser bataclana, en 1941 y Otra cosa es con guitarra, en 1949. Es autor de 43 composiciones, entre las que es posible destacar como las más populares *Bailate un tango Ricardo, El vino triste, Chirusa, Falso, Paciencia, Garronero, Sin balurdo, Borrá y apuntá de nuevo y Adiós Chantecler.* De su discografía, que suma 940 temas, es posible destacar que *La Cumparsita* fue grabada cinco veces, con arreglos e intérpretes diferentes. Grabó cuatro veces *El Choclo, El Internado, El Irresistible, Esta noche me emborracho, Felicia, La Cartera, La Payanca, La Puñalada, Paciencia y Pampa; tres veces llevó al disco Canaro en París, Derecho Viejo, Don Juan, Don Pacífico, El Africano, El Entrerriano, El Marne, Hotel Victoria, Homero, La Guitarrita, La Morocha, Loca y 9 de Julio,* como prueba de su éxito musical y popular. Entre los músicos que integraron su conjunto, se destacan Carlos Lázari acompañándolo en 39 grabaciones; Fulvio Salamanca en 32; Enrique Alesio en 20; Héctor Varela en otras 20; y Eladio Blanco en 13 temas. Además de Biagi, entre los ejecutantes que lo secundaron con mucha calidad y personalidad musical hay que mencionar a Héctor Varela, Juan Polito y Fulvio Salamanca. Entre sus cantores siempre se recuerdan las voces de Alberto Echagüe, Francisco Fiorentino, Armando Laborde, Mario Landó, Mario Bustos, Carlos Dante. Además lo hicieron esporádicamente Libertad Lamarque y Antonio Prieto. Su discografía, por demás extensa, se inició desde 1928 en el sello Electra hasta 1977, en el sello Victor, que cuenta con el mayor número de sus grabaciones.. De todas ellas resaltan las logradas con *La Cumparsita y La puñalada* que marcaron récords de grabación y difusión.

DE ANGELIS, Alfredo
(1912-1992)

El Colorado de Banfield fue primero bandoneonista, pero pronto abandonó este instrumento para dedicarse al que le permitiría conquistar un lugar de privilegio en el gusto tanguero: el piano. En 1932 se incorporó al conjunto de Anselmo Aieta, que se presentaba entonces en el Café Germinal. También actuó en cines céntricos y de barrio, musicalizando películas mudas. Más tarde lo hizo en radios porteñas y formó su primera orquesta, codirigiendo. Se desvinculó para ingresar al conjunto Los Mendocinos, para luego formar de manera definitiva su orquesta típica. Con ella actuó en radios, canales de televisión, teatros, espectáculos, salones de baile y nocturnos, cumpliendo un amplio abanico de actuaciones, que comprende giras por el Interior y el Exterior, siempre imponiendo la calidez musical del tono logrado. Sus composiciones suman casi un centenar, entre las que se pueden señalar *Alas azules, Yo sí que la emboqué, El pencazo, El taladro, Mi cadenero, Me gustan todas, Me has dejado solo, Pimpollo roto, Pan criollo, Pastora, Pregonera y Tachero de mi ciudad.* Su discografía suma 550 temas y se inicia en 1943, grabando en Odeón, para prolongarse hasta 1985, y dejando su paso registrado también en Columbia, en discos de 78 RPM y LP. Cantaron y dejaron grabaciones con su orquesta Floreal Ruiz, Julio Martel, Carlos Dante, Oscar Larroca, Juan C. Godoy, Roberto Florio, su hija Gigï, Rubén Améndola y Carlos Boledi.

DE CARO, Julio

(1899-1980)

En su calidad de violinista integró desde muy joven conjuntos de primerísimo nivel, como los de Eduardo Arolas, Osvaldo Fresedo y Enrique Delfino, dejando en cada uno de ellos el eco del particular sonido que obtenía del instrumento. También fue parte de la orquesta de Juan C. Cobián, con la que realizó su primer viaje a los Estados Unidos. Desde entonces su trayectoria cubrió las metas más deseadas por los músicos del tango, ya que llevó a cabo giras por el Interior y el Exterior; grabó en los sellos más importantes; se presentó en radios; filmó y actuó junto a Gardel, de quien fue dilecto amigo; se presentó en espectáculos teatrales y revisteriles, y llegó a tener un lugar único con su famoso y distintivo violín corneta, que ha marcado toda una época en el tango. Lo mismo, con sus intentos de jerarquizar la música de Buenos Aires, al agregar instrumentos utilizados por orquestas de cámara. Fue miembro de 11 agrupaciones dirigidas por otros músicos y de 15 dirigidas por él. Su obra autoral supera las trescientas composiciones e incluye, entre las más relevantes, *Canción de amor, Chiclana, El arranque, El monito, La rayuela, Mala junta, Boedo, Orgullo criollo, El tigre del bandoneón, Pobre Margot, No me pidas la exclusiva, Farolito, Aquella noche* (dejando de lado la mención de los valses, milongas criollas, rancheras y polcas de su creación). Su discografía se inició en 1924, grabando en Victor, para seguir en Brunswick, Odeón y Pathe, hasta totalizar 504 placas en 78 RPM. Muchas de ellas han sido reprocesadas y lanzadas al mercado como CD. Entre los músicos que actuaron bajo su dirección es posible nombrar a sus hermanos Emilio, Alberto y –fundamentalmente- Francisco (refinado compositor y magnífico pianista); a Ruperto L. Thompson, contrabajo; Pedro Sapochnik, violín, y a una serie insuperada de bandoneonistas: Pedro Maffia. Armando Blasco, Carlos Marcucci y Pedro Laurenz. De los violinistas que actuaron con el violín corneta, como fueron Arcieri, Carroli, su hermano José, Nóbile y Castillo, ninguno consiguió el sonido logrado por Julio De Caro, y de allí su continuo recuerdo asociado a ese instrumento.

DE LIO, Ubaldo A.

(1929-)

Se ha distinguido, a través de los muchos años de su actuación, por la sólida cultura musical adquirida y la ductilidad puesta de manifiesto en cada interpretación. De la inaugural y legendaria Tropilla de Huachi-Pampa derivó al acompañamiento de varios cantantes, entre los que sobresale Hugo del Carril. Formó parte de importantes agrupaciones musicales, con las cuales dejò excelentes grabaciones (Troilo, Salgán, Piazzolla). Actuó en numerosos escenarios nacionales y extranjeros. Y, esencialmente, unió su guitarra al piano de Horacio Salgan, para formar un dúo reconocido en la Argentina y el Exterior por la infrecuente calidad de sus ejecuciones.

DEL CARRIL, Hugo

(1912-1989)

En este caso se da la coincidencia del cantor, el compositor, el actor y el director cinematográfico y teatral. Todo, en una figura admirable, que excede ampliamente los límites del tango, ya que se inscribe en la escasamente poblada categoría de los ídolos populares. Su lanzamiento a la consideración del público data de su actuación en la película *Los Muchachos de Antes no Usaban Gomina,* donde actuó como actor y cantor. Esta faceta de su actividad se inició en 1936, grabando en el sello RCA Victor con la orquesta de Edgardo Donato, para prolongarse hasta 1970, en que grabó en Microfón con el conjunto de Osvaldo Requena. Entre esas fechas extremas registró composiciones con la orquesta de Joaquín Mauricio Mora, siempre en Odeón, Con Tito Ribero, para Victor, lo mismo que con glosas de Julián Centeya o con guitarras, en RCA Victor de México, acompañado de Atilio Bruni, con la orquesta y coro del Teatro Colón, con la orquesta de Domingo Marafiotti, así como con la de Waldo de los Ríos. Luego en 1962, acompañado por Armando Pontier, para siete años después seguir grabando con el acompañamiento de la orquesta de Mariano Mores. Otra relevante faceta de su actividad la constituye su largo paso por las filmaciones, ya que llegó a enfrentar las cámaras para 48 películas como personaje central (en varias de ellas también fue el director, lo cual se dio asimismo en otras en las que no actuó). Entre los títulos mas sobresalientes figuran *La piel de zapa, La Cumparsita, Esta tierra es mía, La canción de los barrios, El astro del tango, Tres anclados en París, Pobre mi madre querida, Yo maté a Facundo, La quin-*

trala, Amorina, Las aguas bajan turbias, Una cita con la vida y *El ultimo perro* (con premios internacionales en Italia, Perú, URSS e India). Poco antes de morir, Piero Bruno Hugo Fontana –tal su verdadero nombre- fue reconocido como lo que era: Ciudadano Ilustre de Buenos Aires.

DELFINO, ENRIQUE P.
(1890-1967)

Pasó parte de su niñez en Italia, donde terminó sus estudios primarios e inició sus estudios musicales. Dotado de una habilidad poco frecuente, su labor como pianista descolló de inmediato. Por ello hay aún recuerdo de sus presentaciones en Montevideo, Nueva York y Buenos Aires, siendo al mismo tiempo contratado por el sello R.C.A. Victor, para que actuara en la capital estadounidense, a la vez que grababa los temas más populares y arraigados entre el público rioplatense. Realizó en la década de 1920 una exitosa y prolongada gira por capitales europeas. A su regreso a Buenos Aires acompañó musicalmente a Sofía Bozán y Azucena Maizani para actuar luego, al frente de su grupo musical, en radios (en esa época fue también pianista de Lomuto). Una enfermedad en la vista, progresiva e irreversible, lo fue alejando del medio artístico y musical que tanto amaba. Se deben a su indiscutible talento los tangos *Santa milonguita, Griseta, Paisaje,Rayito de sol, Re-fa-sí, Palermo, Sans Souci, Claudinette, Al pie de la santa cruz* y *La Copa del Olvido,* entre los 26 que produjo. Este último lleva letra de Alberto Vaccarezza, se estrenó en 1921 -en oportunidad de la presentación del sainete *Cuando un pobre se divierte,* también de Vaccarezza- y fue grabado por Gardel, en ese mismo año. Delfy, seudónimo con el que se lo conoció, registró 38 temas, en los que dejó impresos su refinada línea de ejecución y su sello de compositor inspirado, en evolución permanente.

DEMARE, Lucio
(1906-1974)

Pianista en cines de barrio. Acompañante de solistas femeninas. Integrante de orquestas de jazz. Así fueron sus principios. Hasta que llegó al tango con la orquesta de Francisco Canaro, para ir después a Europa con el conjunto de Rafael Canaro. Actuó entonces en diversas ciudades de varios países y filmó una película en España. Inició más tarde una fructífera etapa como autor de música para películas (*Prisioneros de la tierra, la guerra gaucha, Pampa bárbara*), y se reunió posteriormente con Elvino Vardaro, con quien actuó en radios. Al separarse formó su orquesta, con la que se presentó en diversos lugares bailables, radios, haciendo grabaciones y presentándose en su propio lugar nocturno. Es autor de la *música* de *Malena, Astillas, Llegando a puerto, Dónde, Mañanitas de Montmartre, Por el camino adelante, Negra María,* donde resalta el delicado romanticismo que lo acompañó a lo largo de toda su carrera.

DI CICCO, Minotto
(1898-1979)

Uruguayo. Bandoneonista. Se inició en sus años juveniles como acordeonista, pero luego cambió por el bandoneón, del que llegó a ser un verdadero maestro, pues no sólo enseñó a tocar el instrumento, sino que hizo escuela en el estilo interpretativo. Formó siendo muy joven el cuarteto Minotto-Alonso, presentándose en cabarets y grabando en Buenos Aires. Regresó a Montevideo a continuar su carrera musical, pero volvió a Buenos Aires para tocar en la orquesta Firpo-Canaro, haciendo la temporada de carnaval en Rosario, para 1918. De regreso a su ciudad natal formó una orquesta que reunió a los mejores músicos de su momento, actuando en cafés y reiterando las grabaciones. Viajó a Europa y Estados Unidos, donde continuó haciendo grabaciones. Luego formó un trío que actuó en Buenos Aires, presentándose en la radio. Más adelante se incorporó a Francisco Canaro, con quien estuvo por casi medio siglo. Intervino en la filmación de varias películas y hay 40 registros grabados con su intervención musical.

DI SARLI, Carlos

(1903-1960)

A la edad del servicio militar se trasladó a Buenos Aires –había nacido en Bahía Blanca- y, para ganarse la vida, tocó el piano en cafetines y bares del Bajo, Barracas y la Boca, para secundar después a varias cancionistas. Progresivamente fue ascendiendo hasta tener cinco años después de su arribo a la Capital su primer conjunto musical, que fue un sexteto, actuando con él en cafés del Centro y radios prestigiosas. Inició poco tiempo después la etapa de grabar discos en varios sellos de primera línea. Su prestigio y arraigo popular lo llevaron a actuar en radios, confiterías, locales nocturnos, cabarets, bailes, con giras por el Interior y muchas grabaciones que son muy apreciadas en la actualidad. Es autor de más de cuarenta músicas de tangos, entre las que se destacan *Bahía Blanca, Un día llegará, Mi última canción, La capilla Blanca, Milonguero viejo, Al pan pan y al vino vino, Rosamel, De qué podemos hablar, Porteño y bailarín, Verdemar y Nido Gaucho*. Recibió distinciones y premios como el Disco de Oro por la grabación de *Organito de la Tarde*. Su discografía, de

382 grabaciones, se inicia en 1928, grabando en RCA Victor, con *La guitarrita,* para pasar luego a Odeón, donde dejó impresas más de doscientas interpretaciones, Music Hall, y Phillips, en 1960. Fueron sus cantores más destacados Ernesto Famá, Roberto Rufino, Jorge Durán, Antonio Rodríguez Lesende, Oscar Serpa, Argentino Ledesma y Carlos Acuña. Fue pianista de sus sextetos y orquestas, contando con la colaboración de músicos de la relevancia de Elvino Vardaro, José Libertella, Simón Bajour y Félix Verdi. En su homenaje se le ha levantado un busto en Bahía Blanca, su ciudad natal. Se lo llamó *El Señor del Tango.*

DISCEPOLO, Enrique Santos

(1901-1951)

Figura polifacética, creador fundamental dentro del tango. Su llegada al ambiente teatral se produjo a los 17 años. Desde entonces su vida se desarrolló en el mundo del espectáculo popular. Escribió argumentos para el cine y obras para el teatro, letras y músicas para tangos, actuó en películas, espectáculos teatrales y radio, fue autor de la música de varias películas y director cinematográfico. De sus composiciones tangueras perduran *Cambalache, Yira yira, Chorra* y *¿Qué vachaché?* Esta última fue grabada por Gardel en Barcelona en 1927. *Yira, yira* fue registrada por la Orquesta Típica Victor en 1930, seguida de muchas otras grabaciones. *Victoria* fue grabado por Gardel en 1929. *Uno,* con música de Mariano Mores, fue estrenado por Tania -esposa de Discépolo- y grabado en 1943 por Anibal Troilo con la voz de Alberto Marino, seguido de muchos otros registros (es uno de los tangos más populares en las décadas de 1940 y 1950). *Tres esperanzas* fue estrenado en el espectáculo Wonder Bar y grabado por la Orquesta Típica Victor en 1933, cantando la letra Carlos Lafuente. *Soy un arlequín* lo grabó Juan D'Arienzo con el acompañamiento vocal de Francisco Fiorentino. *Malevaje,* tiene música de Juan de Dios Filiberto y fue estrenado por Azucena Maizani en 1928, grabándolo en el mismo año. *Chorra* también lleva música de Juan de Dios Filiberto, siendo estrenado y grabado por Azucena Maizani, en el mismo año que el anterior. El primero de sus tangos mencionados, *Cambalache*, síntesis expresiva de la crisis moral y ética de la década de 1930, lo estrenó Olinda Bozán en el teatro Maipo, siendo grabado por Roberto Maida en 1936, cuando cantaba en la orquesta de Francisco Canaro. *Cafetín de Buenos Aires* lleva música de Mariano Mores. Fue estrenado y grabado por Anibal Troilo con la voz de Edmundo Rivero en 1948, posiblemente la mejor y más popular versión, no superada, a pesar de las reiteradas interpretaciones y grabaciones que se han hecho del mismo. *Infamia*, por su parte, lo grabó Juan D´Arienzo con la voz de Héctor Mauré en 1941. Quedan sin mencionar muchas otras composiciones de verdadera importancia y jerarquía poética. Era hijo de Santo, músico, y hermano de Armando, su mentor inicial, gran autor y director teatral.

DONATO, Edgardo F. V.

(1897-1963)

Violinista y compositor porteño. Vivió de niño en Montevideo, capital en la que estudió música y en la que se inició como violinista de jazz (al mismo tiempo, tocaba tangos en otra orquesta). En l919, ya de nuevo en Buenos Aires, se presentó como jazzman en el teatro Casino. Otra vez en el Uruguay, formó el dúo Donato-Zerrillo, presentándose en bares, cafés, radios, cabarets y lugares menos recomendables. De regreso a Buenos Aires asumió la responsabilidad de la música de las películas *Riachuelo* y *Tango*. A lo largo de su carrera musical ha dejado un importante número de grabaciones. Es autor de *Julián, A media luz, Volvé, Mil novecientos, Beba, El huracán, Venite conmigo, Ni te perdo-*

no ni te olvido, Seguí, no te parés, Malala, T.B.C. y otros del mismo nivel musical y melódico. *Julián* es el primero que dio a conocer, tiene letra de José L. Paniza y fue grabado por Rosita Quiroga, acompañada por guitarras, en 1926. El dúo Donato-Zerrillo ha dejado 51 grabaciones, y Edgardo suma 3

EXPOSITO, Homero

(1918-1987)

Poeta de neta raigambre popular y porteña, se distinguió en los argumentos teatrales y las letras compuestas para tangos, que han merecido la colaboración de distinguidos músicos. Colaboró con su hermano Virgilio en varias composiciones. *Rondando, Yo soy el tango, Trenzas, Al compás del corazón, Percal, Oyeme, Pequeña, Yuyo verde, Sexto piso, Oro falso, Quedémonos aquí, Farol, Cafetín, A bailar, Tristezas de la calle Corrientes, Qué me van a hablar de amor, Loco torbellino, Naranjo en flor, Te llaman Malevo, Afiches* y *Solo y triste como ayer,* dejando sin mencionar muchas otras composiciones valiosas por su gran contenido poético. Su centro de acción era el café de San Juan y Boedo, en cuyas mesas compuso más de una de sus poesías. Después de su muerte se le han rendido numerosos homenajes, y se han colocado placas en las paredes del mencionado café. *Afiches* tiene música de Atilio Stampone, quien lo grabó con su orquesta y la voz de Héctor Petray en 1957. *Al compás del Corazón* fue compuesto en 1942, complementado con la música de Domingo S. Federico y registrado ese mismo año por la orquesta de Miguel Caló con la voz de Raúl Berón. *Cafetín* tiene música de Argentino Galván y fue grabado por Alberto Morán, con la orquesta de Osvaldo Pugliese, en 1947, un año después de haber sido compuesto. *Percal* fue complementado por Domingo

Federico y llevado al disco por Aníbal Troilo con Fiorentino en 1943. *Yuyo Verde* tiene música de Domingo Federico y se grabó en 1944 por la misma orquesta con la voz de Carlos Vidal. *Qué me van a hablar de Amor* tiene música de Héctor Stamponi y lo grabó Aníbal Troilo con Floreal Ruiz en 1946, pero posiblemente la grabación más popularizada se debe a Julio Sosa, que lo registró con la orquesta de Leopoldo Federico en 1964.

EXPOSITO, Virgilio H.

(1924-1997)

Se ha distinguido en dos facetas; como arreglador y como compositor de tangos. Compuso junto con su hermano Homero, *Rondando* -primer tema de ambos- *Parisien, Naranjo en Flor, Oro, Farol, Pobre piba y Chau Piazzolla.*

EZEIZA, Gabino

(1858-1916)

Payador. Se destacó como intérprete y como autor. Creó más de 500 temas, de los que aún perduran algunos, como *Heroica Paysandú.* Es célebre la payada sostenida con Nemesio Trejo durante tres noches seguidas, en el teatro Florida de Pergamino. Tenía una creatividad estupenda para improvisar. También estaba dotado de un oído perfecto para la medida, cadencia y rima. Fue el trovador de la pampa, el bardo errante que con su guitarra visitaba todos los ranchos y las pulperías, glosando los acontecimientos más notables. Hijo del pueblo, de origen africano y muy humilde. Sus triunfos sobre otros payadores contemporáneos son incontables, tanto en la Argentina como en el Uruguay. Algunas de sus composiciones en verso han sido musicalizadas en tiempo de tangos, valses y milongas. Quedan de él sólo 22 grabaciones.

FALCON, Ada
(1905-1989)

Siendo todavía una niña, cantaba tonadillas en el teatro. Luego intervino en sainetes y revistas, en diversas compañías teatrales. Continuando su trayectoria formó la propia para presentarse en varios teatros de revistas, acompañada por su hermana Adhelma, con la que formó un celebrado dúo que también fue requerido por las radios porteñas. A mediados de la década de 1930 intervino en la filmación de algunas películas. En 1942 decidió retirarse de la actividad pública y se radicó en Córdoba. Su discografía comprende 217 composiciones, grabadas a partir de 1925 en Victor y Odeón, acompañada por Osvaldo Fresedo, Enrique Delfino, Francisco Canaro y Héctor Stamponi.. El público la bautizó El Alma que Canta. Su nombre real, Ada Aída Falcone.

FEDERICO, Domingo S.
(1916-1985)

Magnífico bandoneonista, director y compositor que ha certificado su capacidad en las grabaciones dejadas con varios conjuntos, especialmente con Miguel Caló, antes de tener su orquesta. Con ella grabó muchas de sus propias composiciones y acompañó a varios cantantes de nota. Fue convocado para musicalizar películas y radioteatros. Es autor de *Yuyo verde, Tristezas de la calle Corrientes, Saludos, Percal y Al compás del corazón,* todos ellos con letra de Homero Espósito.

FEDERICO, Leopoldo

(1927-2000)

Su trayectoria como bandoneonista ha quedado reflejada en las etapas cumplidas en varias agrupaciones hasta que en 1952 formó la propia, acompañado en la dirección por Atilio Stampone. Fue también arreglador para las presentaciones de Julio Sosa. Si bien es músico vanguardista, conserva una fuerte atracción por la tradición de los pequeños conjuntos, al frente de los cuales se ha presentado en locales nocturnos, bailes, radios y efectuado grabaciones para varios sellos. Ha realizado exitosas giras por el Interior. También lo ha hecho por Japón, logrando aceptación y popularidad. Entre sus composiciones sobresalen *Cabulero, Malambo, Capricho otoñal, Dolor de ausencia, Preludio nochero, y Alma de tango.* Como integrante del Quinteto Real ha dejado muchas grabaciones de excelente calidad. Su discografía ronda los 350 registros. Su momento de mayor popularidad lo tuvo como director de su orquesta de tangos entre 1960 y 1964, cuando en ella cantaba Julio Sosa.

FERRER EZCURRA, Horacio A.
(1933-)

Uno de los más firmes impulsores de la corriente modernista del tango. De sus orígenes como comentarista radial en su ciudad natal, Montevideo, ha llegado de manera sucesiva a colaborar con revistas especializadas y presidir en la actualidad la Academia Nacional del Tango, fundada por su iniciativa. Ha publicado una meritoria obra, El Libro del Tango, Arte Popular de Buenos Aires, creación no superada, exhaustiva en su género, en tres tomos, en los que reúne, recopila, ordena alfabéticamente todo el mundo de la música popular rioplatense, valorizándola con ecuanimidad y, en los últimos tiempos, en colaboración con Oscar del Priore, Inventario del Tango, 2 tomos. Es autor, junto con Piazzolla, de *Balada para un loco*. Le siguen *Existir, El gordo triste, Loquita mía, Esquinera, María de Buenos Aires, El hombre que fue ciudad, La última grela, Balada para mi muerte y Chiquilín de Bachín,* dejando de lado muchas otras composiciones de igual valor poético, para las que ha contado con la colaboración de grandes músicos.

FILIBERTO, Juan de Dios
(1885-1964)

A los nueve años voceaba por las calles billetes de lotería. A los quince era peón de albañil, y después fue estibador, carrero y desempeñó otros oficios. Sintió la influencia de las ideas anarquistas propagadas por los inmigrantes radicados en la Boca, su barrio natal. Se inició como guitarrista intuitivo y sólo cuando tenía veinticuatro años pudo estudiar música. Lo hizo entonces cabalmente (aprendió a tocar guitarra, piano y violín, pero más que nada fue adquiriendo un concepto musical integral). En 1932 se lanzó a la consideración popular con la Orquesta Porteña, debutando en un teatro céntrico. Al poco tiempo fue llamado por las radios y los sellos grabadores, a la vez que teatros de primera fila lo convocaban para que musicalizara las obras representadas en sus escenarios. Entre 1939 y 1948 organizó y dirigió la Orquesta Folclórica de la Ciudad de Buenos Aires. Es autor de *Caminito* –tema que ha merecido más de veinte grabaciones- *Amigazo, Malevaje, Clavel del Aire, El pañuelito Yo te bendigo, Langosta, Cuando llora la milonga, Quejas de bandoneón, Comadre, El musicante, Mentiras, Botines viejos,* todas composiciones muy apreciadas. Escribió además un sainete lírico, *Se Acabó lo que se daba,* y seis poemas sinfónicos.

FIORENTINO, Francisco
(1905-1955)

Cuando en 1940 se incorporó a la orquesta de Anibal Troilo, abrió un camino por el que rápidamente alcanzó una popularidad hasta entonces no lograda. Desde quince años atrás venía actuando con varios grupos musicales de menor cuantía primero. Después, con Francisco Canaro y con Roberto Zerrillo. Con éste viajó a Montevideo y allí tuvo también una buena temporada, lo mismo que en varias radios porteñas. En Rosario intervino en la filmación de la película *Viejo Barrio.* Cuando se desvinculó de Troilo cantó con Orlando Goñi, Astor Piazzolla y otras orquestas. Falleció en un accidente de automóvil. Su discografía es de unas 170 composiciones y comenzó en 1927, al grabar en Odeón con Francisco Canaro. Dejó entre sus 24 composiciones los tangos *En las noches, Me has dicho que me quieres, Homenaje al tango, El amor nunca muere, Pecadora, Admiración, Macho e Intimo.*

FIRPO, Roberto

(1884-1969)

Recibió una buena educación musical y precozmente, a los doce años, se inició como pianista en el Velódromo, para incorporarse después al conjunto de Juan C. Cobián, para actuar en el Hansen. De allí siguió presentándose en cafés y bares barriales para luego hacerlo en el centro con el Tano Genaro Espósito. Poco después inició la grabación de discos, para unirse luego –tenía entonces 33 años- a otros intérpretes, con los que formó la Gran Orquesta de Ases. A partir de 1926 logró imponer una armonía musical y una estricta observancia de sus directivas, y por ello, el sonido y el ritmo de la orquesta fue siempre muy parejo, sin registrar alteraciones profundas, como es posible apreciar en las distintas grabaciones. La discografía con su orquesta llega a poco menos de dos mil registros, entre tangos, valses, zambas, rancheras, romanzas, shimmies, fox-trots, marchinhas, chacareras, tonadas, cuecas y otros ritmos muy variados. Le corresponde a Firpo la autoría de 84 tangos, entre los que sobre salen *Argañaraz, Al gran bonete, Sentimiento criollo, Alma de bohemio, El bisturí, Una partida, Marejada, Mal pagador, La muchacha del arrabal, Barquinazo y De vuelta al pago*, a los que hay que agregar 23 valses, 5 milongas, 10 estilos y temas camperos, 7 pasodobles y más de 15 piezas en otros ritmos (en total, unas 150 composiciones). También merecen mencionarse las grabaciones realizadas con su cuarteto, pues llegan a casi dos centenares, así como las muchas que llevó a cabo con la agrupación llamada Roberto Firpo y su Quinteto de Antes. Su discografía total alcanza la excepcional cantidad de 2861 registros.

FLORES, Celedonio E. }

(1896-1947)

En su juventud practicó el boxeo, alcanzando destacado lugar en esa actividad, pero pronto cambió la agresividad del pugilato por algo totalmente opuesto: la poesía. Pintó desde entonces la vida porteña, la de los barrios, en el lenguaje del arrabal. Publicó en 1915 *Flores y Yuyos*, y en 1929 *Chapaleando barro y Cuando pasa el organito*. Existe en la actualidad una antología muy completa de su producción poética. Escribió letras de tangos que se hicieron famosos (casi siempre precisamente por su letra), como *Mano a mano, Margot, Atenti pebeta, Canchero, Cuando me entrés a fallar, Viejo smoking, Lloró como una mujer, Mala entraña, Muchacho, Pa´ lo que te va a durar, Corrientes y Esmeralda, Por seguidora y por fiel, Pan, Si se salva el pibe, El bulín de la calle Ayacucho*, etc.

FRANCINI, Enrique M.

(1916-1978)

En Campana, donde había nacido, completó sus estudios primarios y musicales, iniciándose en el conjunto dirigido por su maestro, Juan Elhert. En 1937 se presentó en radios porteñas e ingresó al grupo de Miguel Caló. En 1946 formó orquesta con Pontier, cumpliendo una etapa de gran calidad, alta popularidad y una musicalidad excelente. Compartió su tiempo de director orquestal con la integración de pequeños conjuntos, con los que se presentó en radios y grabó con la misma asiduidad que con la orquesta. En 1953 se unió a Héctor Stamponi, con quien actuó y grabó repetidamente. También integró el Octeto Buenos Aires, Los Astros del tango, Los Violines del Tango y el Quinteto Real. Con este último viajó al Japón en tres oportunidades. Entre los cantores más destacados que intervinieron en sus grupos musicales hay que mencionar a Roberto Florio, Julio Sosa, Alberto Podestá y Roberto Rufino. Este excepcional violinista fue autor de 26 composiciones, entre las que sobresalen *Tema Otoñal, La vi llegar, Mañana iré temprano, Oyeme, Princesa del fango, La canción inolvidable, Me lo dice el corazón, Delirio, Triste flor de fango,* a las que hay que agregar valses, milongas boleros y otras melodías.

FRESEDO, Osvaldo N.

(1897-1984)

Como su hermano Emilio, se inició tocando el bandoneón en cafés de barrios. Pasados algunos años, inició sus actuaciones en cabarets del Centro y la época de sus grabaciones, período que habría de cubrir más de seis décadas. En 1918 se integró a la orquesta de Julio De Caro, para viajar al año siguiente a Estados Unidos, convocado por un sello grabador. Al regresar formó su propio conjunto, con el que animó los bailes que se brindaban en los salones de la clase alta porteña, lo mismo que los celebrados en honor del Príncipe del Piamonte y, más adelante, del Príncipe de Gales. Viajó después a Francia, donde se presentó en los principales cabarets parisinos, para pasar luego nuevamente a los Estados Unidos, y volver en 1934, para gestionar el tema del pago de los derechos de autor. Sus actuaciones se trasmitieron por la National Broadcasting W. J. Z. y su Cadena Colorada, y también grabó para la NBC. Fue uno de los innovadores en la composición instrumental de la típica, en la que introdujo instrumentos como arpa, violoncelo, batería y vibráfono. Su discografía se extiende desde 1920 hasta 1981. Como curiosidad hay que hacer notar que en 1927 grabó improvisaciones de Dizzy Gillespie y con su orquesta, en Odeón, en discos de 25 cm y 78 RPM. Tres años más tarde acompañó a Carlos Gardel, también en Odeón. En el mismo año grabó para Victor, con Ada Falcón. En 1934, con el célebre tenor Tito Schipa, y entre 1945 y 1947 con Pedro Vargas. Su discografía asciende a 1200 grabaciones. Entre los mejores cantores que pasaron por sus agrupaciones se destacan Ernesto Famá, Teófilo Ibañez, Roberto Ray, Oscar Serpa y Hugo Marcel. De su producción sobresalen *Arrabalero, El 11, Sollozos, Canto de amor, Casate conmigo, El espiante, Chupate el dedo, De academia, Elvirita, Tango mío, Hablemos claramente, Mala sangre, No me faltes corazón, Perdón viejita, Pimienta, Pampero, Ronda de ases, Aromas, Bandoneón amigo, Tarila y Vida mía,* dejando sin mencionar muchas otras de no menor valor musical. Uno de sus clásicos fue *Pampero,* con letra de Edmundo Bianchi, compuesto en 1935, grabado por su orquesta cuando cantaba Roberto Ray, en el mismo año. Otro fue *Vida Mía*, con letra de Emilio Fresedo, interpretado por el mismo cantor. *El Pibe de La Paternal* –como se lo llamaba- logró dotar a su conjunto orquestal de una sonoridad única, de original elegancia, reflejo directo de su personalidad.

GARCIA JIMENEZ, Francisco
(1899-1983)

A lo largo de su intensa actividad fue comediógrafo, cronista en revistas y periódicos, comentarista de espectáculos, guionista de películas, investigador, ensayista y, fundamentalmente, autor de canciones. Ha dejado varios libros sobre historia del tango y de los tangos, como también comentarios y memorias de los contemporáneos de su época. Su producción, muy extensa y desarrollada mayoritariamente en colaboraciòn con Anselmo Aieta, exhibe títulos como *El huérfano, Príncipe, Zorro gris, Siga el corso, Barrio pobre, Tus besos fueron míos, Lunes, Ya estamos iguales, Prisionero, Bajo Belgrano, Rosicler, Mamboretá, La última cita y Palomita Blanca..*

GARDEL, Carlos
(¿1883?-1935)

En torno a su nacimiento, nacionalidad y legitimidad familiar se viene discutiendo desde hace años, y hay partidarios más o menos bien documentados sobre todas esas cuestiones. Las mismas quedan para los especialistas, por lo que se las soslaya en este trabajo (es posible consultar al respecto autores y obras como Eduardo Paysse González, *Carlos Gardel, páginas abiertas*; Ricardo Ostuni, *Repatriación de Gardel* y Nelson Bayardo, *Carlos Gardel a la luz de la historia*). Lo importante es que Gardel ha sido el más grande cantor de tangos de todos los tiempos. Una insoslayable huella vocal, el modelo, la guía. Y un mito de tan general aceptación como pocos. Gardel actuó en radios, teatros, cines, bailes, espectáculos muy diversos en cuanto a la calidad del auditorio, realizó giras por el Interior y el Exterior, y fue convocado también para actuar en Uruguay, España, Francia, grabando y filmando. Luego lo hizo en los Estados Unidos. Al terminar sus compromisos inició una gira por países americanos, para promocionar las películas recién filmadas, pero falleció en el mítico accidente de Medellín, Colombia, el 24 de junio de 1935. Su discografía consta de 760 títulos grabados en discos de pasta 78 RPM, que posteriormente han sido reprocesados y lanzados al mercado en discos vinílicos y después en CD. Su indudable capacidad como compositor intuitivo (no sabía escribir música) ha quedado opacada por su trascendencia como intérprete. Curiosamente, su perdurabilidad ha conseguido que muchos de los temas alcanzaran con el tiempo gran popularidad, como ocurre especialmente con *Mi Buenos Aires querido, El dìa que me quieras o Volver*, que han sido grabados por muchos otros artistas. *Volver* lleva letra de Alfredo Le Pera, fue compuesto en 1935 y grabado por Gardel, con orquesta, en Nueva York. Esos datos se repiten en *Volvió una noche, Sus ojos se cerraron, Soledad, Mi Buenos Aires querido, Amargura, Cuesta abajo, Arrabal amargo, Golondrinas, etc.* La tardía colaboración entre Gardel y Le Pera, ya que arranca cinco años antes de la muerte de ambos, arrojó excepcionales resultados, especialmente si se considera que se produjo en un lapso relativamente corto. Le Pera fue el guionista de la mayoría de las películas que protagonizara Gardel y el autor de la letra de sus tangos más famosos. Gardel, que tenía ya más de cincuenta años, se mostró entonces en pleno dominio de un instrumento vocal que, más allá del natural desgaste, había alcanzado una bruñida madurez, un encanto particular. Y su equilibrio expresivo era tanto que muchos de los temas que registró entonces parecen certificar el eslogan "Cada día canta mejor". Es altamente meritorio que, no obstante el cumplimiento contractual, en relación con que el argumento de las películas, su ambientación, las melodías de los temas y el lenguaje de las letras no debían tener un acento marcadamente argentino, porteño, localista, Gardel y Le Pera se lo dieron, sin que se notara demasiado. De ese modo, se convirtiò Gardel en un auténtico, decidido propalador internacional, al difundir el tango por medio de las películas y los discos. Este auspicioso proceso debió esperar muchos años para repetirse de algún modo. Y se verificó –feliz coincidencia- con alguien que, entonces un niño, conoció en Nueva York a Gardel y tuvo el privilegio de acompañarlo en el bandoneón. Astor Piazzolla, claro.

GARELLO, Raúl M.
(1936-)

Bandoneonista, arreglador, compositor y director. Hasta 1953 se desempeñó en orquestas que realizaban bailes en localidades de la provincia de Buenos Aires. Ese año se trasladó a la Capital Federal para seguir estudios universitarios y paralelamente continuar con la música, actuando en radios y varias orquestas o acompañando a solistas. Ha realizado giras artísticas por Brasil y fue parte de la orquesta de Troilo y su arreglador en la época final de ese conjunto. Posteriormente organizó su propia orquesta, con la que realizó numerosas actuaciones y registros discográficos. Es autor de *Hoy está aquí Buenos Aires, Antes de que llegue el día, Buenos Aires conoce y Llevo tu misterio,* entre muchos otros temas.

GOBBI, Alfredo E.
(1877-1938)

Después de haberse iniciado en el canto y la guitarra en el Uruguay, su tierra natal, se trasladó a la Argentina. En Buenos Aires continuó actuando en circos, cumpliendo varias papeles que variaron desde payaso a cantor. Pasó a Madrid y de allí a París, donde permaneció un tiempo. Regresó a Buenos Aires en 1905 con una compañía de teatro, pero al poco tiempo viajó con su esposa a los Estados Unidos, actuando en varias ciudades y grabando. De allí pasó a Londres y más adelante a París, contratado también para grabar. En esta ciudad se unió con Angel Villoldo, con el que dio espectáculos de canto, música y baile. Al iniciarse la Primera Guerra regresó a Buenos Aires. Fue convocado por el incipiente cine argentino e intervino en varias películas entre 1915 y 1935. Por razones de salud debió retirarse de la escena y de las actuaciones. A lo largo de su larga y agitada vida compuso un gran número de piezas musicales (algo más de cuatrocientas), en distintos géneros. Entre sus títulos se pueden mencionar *Tocá fierro, A mí, ¿Qué hacés, Pulentín?, El taita, Tomale el tiempo, En qué topa que no dentra, El afamao, ¿Por qué no comprás un lote?, La coqueta del Plata, El pretencioso y Viento norte.* Su discografía alcanza a las 458 grabaciones, cantidad importante para cualquier época, y más si se piensa que fue registrada en las primeras decadas del siglo XX.

GOBBI, Alfredo J. F.
(1912-1965)

Nació en París, en 1912, durante una estada de sus padres, pero se educó y formó espiritualmente en el ambiente porteño. Desde 1927 trabajó en varias oportunidades con Orlando Goñi. Actuó también con Anselmo Aieta y Mario Pardo e integró el grupo de Vardaro-Pugliese, para pasar a otros de igual jerarquía, hasta que en 1931 formó su propia orquesta, con la que debutó en el café Buen Orden. Luego dejó la agrupación para incorporarse a Pedro Laurenz y Osvaldo Pugliese. Entre 1938 y 1941 pasó por varios conjuntos, hasta que en 1942 formó orquesta nuevamente -con excelentes instrumentistas- y se presentó en Sans Souci, de la calle Corrientes, así como en radios, locales y bailes, grabando casi a diario y realizando giras y presentaciones en clubes y localidades del Interior. A lo largo de los años que estuvo al frente de su grupo musical amalgamó la influencia de Di Sarli, la de De Caro y sus propias sensibilidades. Al combinarlas equilibradamente ingresó, como arreglador de su propia orquesta, en una dimensión particular dentro del tango, sutilmente evolucionada. Gobbi es autor de *El último bohemio, Orlando Goñi, De punta y hacha, Camandulaje, El último bohemio, Tu angustia y mi dolor, Redención, Cuando llora mi violín, Mensajera, Desvelos, El andariego, Mi paloma* y algunos otros. La discografía del Violín Romántico del Tango -como se lo denominaba- llega a las 82 grabaciones.

GONZALEZ CASTILLO, José
(1885-1937)

Su verdadera vocación fue la de autor teatral, lo cual no le impidió inscribirse entre los más ponderables letristas del tango. Estrenó su primera pieza, *Del Fango,* el año 1907 en el teatro Apolo, con la compañía de los hermanos Podestá. Desde entonces se hizo casi ininterrumpida la presentación de sus obras en los escenarios porteños. Fue el creador del Boletín Oficial de Argentores, cuya dirección ejerció a partir de 1935. También colaboró con el cine argentino. Realizó varios viajes a Europa, que enriquecieron sus conocimientos teatrales. Fue activo dirigente gremial. Entre sus tangos sobresalen *Aquella cantina de la ribera, El circo se va, El aguacero, Música de calesita, Sobre el pucho, Silbando, Griseta, Caminito del taller, Organito de la tarde, y Qué has hecho de mi cariño. Organito de la tarde*, que tiene música de su hijo, Cátulo Castillo, fue compuesto en 1923 y cantado por Gardel en 1925. Su estreno corresponde a 1924, cuando fue premiado en un concurso. *Griseta*, musicalizado por Enrique Delfino en 1924, fue estrenado por Raúl Laborde ese mismo año, al presentarse la obra teatral titulada *Hoy transmite Radio Cultura.*. También mereció que lo cantara Carlos Gardel, hecho que ocurrió en la misma época.

GOÑI, Orlando

(1914-1945)

Por su refinada técnica y su avanzada concepción musical, este pianista fue un revolucionario del tango. En 1927 actuó con Alfredo Gobbi y luego pasó a tocar en varios conjuntos como solista, para después incorporarse a Anibal Troilo, con quien estuvo seis años. En ese tiempo intervino en numerosas grabaciones, en las que es posible apreciar su personalidad interpretativa. Al desvincularse formó su orquesta, con la que no llegó a grabar, ya que lo impidió su temprana muerte. Su influencia musical se hizo sentir firmemente en sus contemporáneos y es posible rastrearla en Piazzolla.

GOYENECHE, Roberto E.

(1898-1925)

Porteño. Pianista. Se fogueó tocando gratis durante los descansos de las orquestas, y desde los 14 años fue pianista de cines en la época de las películas mudas. Integró más tarde diversos conjuntos que animaron reuniones bailables muy populares. Se unió después a Pedro Laurenz, con el que se presentó en radios porteñas. A principios de la década del '20 viajó a España con la compañía Muiño-Alippi. Allí grabó asiduamente, y de regreso organizó su propio conjunto musical. Compuso la música de *Pobre vieja*, *Princesita*, *Que te vaya bien*, *De mi barrio*, *El metejón*,

Albertito, Pompas, Sin amor, Yo te perdono, y otras composiciones en ritmos diferentes del tango.

GOYENECHE, Roberto

(1926-1994)

En 1944 ganó un concurso de cantores organizado por el Club Federal Argentino, lo cual le permitió ponerse en contacto con varios directores de orquesta y vincularse de lleno con el ambiente tanguero. Cantó con Kaplún, Salgán y Troilo -con quien estuvo diez años-, y obtuvo paulatinamente gran reconocimiento. Su fama aumentaría luego hasta encumbrarlo como uno de los vocalistas más populares de toda la historia del género. Desde un punto de vista estrictamente técnico, posiblemente alcanzó su plenitud hacia el final de su etapa con Troilo (ya había insinuaciones memorables con Horacio Salgán). Sin embargo, al desvincularse y actuar como solista, maduraron su expresividad, su particular dicción y su originalìsimo fraseo, hasta convertirse en un sello inconfundible. Acompañado musicalmente por varios conjuntos se presentó desde entonces prácticamente hasta su muerte –a pesar del notable deterioro que su condición vocal evidenció durante su última época- en radios, canales de televisión, locales nocturnos, espectáculos y recitales. A la vez, intensificó el ritmo de sus grabaciones y llegó a totalizar una cifra superior a las 350.

GRECO, Vicente
(1888-1924)

Desde muy niño se ganó la vida como vendedor de diarios. Aprendió a tocar la flauta, después la guitarra, el piano y finalmente el bandoneón, instintivamente, sin maestros. Del café El Griego, donde tocaba desde 1903, pasó al Estribo, donde se hizo necesaria la policía para apaciguar a la concurrencia que se agolpaba para oírlo. Sus inquietudes lo llevaron a redactar la obra teatral *Almas que sufren.*, y en 1911 estrenó su tango homónimo. Con el grupo musical que lo acompañaba animó muchos carnavales en teatros, inauguró el Armenonville y fue llamado por cuanto lugar había para escuchar y bailar tangos en el Buenos Aires de principios del siglo pasado. Le corresponde el privilegio de ser el primer conductor de una orquesta con bandoneón que grabó un disco, en 1911. Su discografía suma 82 temas, para los sellos Columbia, Record y Atlanta. Son de su producción, entre otros, los siguientes tangos: *El morochito, Muela cariada, María Angélica, La infanta, Popoff, El chicotazo, La viruta, Ojos negros, Racing Club, Argentina, La percanta está triste, El pibe, El perverso, Noche brava, La regadera, Pachequito, El estribo, El mejicano, La paica, Criollo viejo* y *El pangaré.*

IRUSTA, Agustín C.
(1903-1987)

Se inició como cantante, en compañías teatrales. A mediados de

1920 viajó a Europa con Roberto Fugazot, en la gira emprendida por Francisco Canaro. Allí formó un trío que obtendría resonante popularidad, al agregarse a Irusta y Fugazot el pianista Lucio Demare. Regresó a Buenos Aires en 1936, reintegrándose a Canaro e interviniendo en revistas y espectáculos musicales. Su presencia fue requerida para el rodaje en Argentina y en México. Es autor de *A cara o cruz, Dandy, Dos vidas y Tenemos que abrirnos*, y su discografía alcanza a las 149 grabaciones.

JUAREZ, Rubén

(1947-)

Cordobés. Cantor y bandoneonista. Se inició en conjuntos provincianos para pasar luego a Buenos Aires, convirtiéndose muy pronto en un artista muy apreciado por su calidad vocal y por su especial aporte para el tango, basado en un modo personal de expresión, franco, grato, sin rebuscamientos. Convocado para actuar en numerosos escenarios y grabar de manera reiterada, ha realizado numerosas giras por el Interior y el Exterior. Es autor de *Mi bandoneón y yo* y otras composiciones de menor resonancia. Su discografía se acerca a los 100 temas.

LAURENZ, Pedro B.

(1902-1972)

Su infancia transcurrió en Villa Crespo y aprendió el violín por influencia hogareña. A los 15 años su familia se radicó en Montevideo. Se decidió entonces a estudiar bandoneón, inicióndose en un café de esa ciudad. Nuevamente en Buenos Aires, se presentó en cafés de reputación muy cuestionable. Más adelante se integró al grupo dirigido por el pianista Roberto E. Goyeneche, actuando en radios casi de inmediato. Fue después llamado por Julio De Caro, con quien estuvo casi una década. En 1934 organizó su propio conjunto musical, con el que impuso su particular estilo, en el que se entrevén influencias decarianas. Desde 1959 fue parte del Quinteto Real, con el que visitó tres veces el Japón. Al disolverse esa agrupación volvió a dirigir su orquesta, con la que se presentó en Nueva York (1970). Es autor de cuarenta y ocho composiciones, entre las que conviene recordar *Mala junta, Amurado, Mal de amores, Marinera, Risa loca, Berretín.* La discografía realizada llega a sumar 317 composiciones. Su nombre civil fue Pedro Blanco y su influencia sobre todos los bandoneonistas que lo sucedieron, incuestionable.

LE PERA, Alfredo
(1900-1935)

Por su profesión de periodista se relacionó con el ambiente bohemio del tango, al que contribuyó no sólo con muchas letras, sino con el soporte excepcional que fue para Gardel, como guionista de gran parte de sus filmes. Su asidua colaboración en la etapa que consagraría definitivamente a Gardel comenzó en Francia, durante la filmación de Melodía de Arrabal. Y continuó después en los Estados Unidos, hasta el vuelo que terminó trágicamente en Medellín. Es autor de *Amargura, Arrabal amargo, Cuesta abajo, Golondrinas, Mi Buenos Aires querido, Volver, Por una cabeza, Recuerdo malevo, Soledad, Sus ojos se cerraron, Volvió una noche, Silencio, Amores de estudiante, Melodía de arrabal, El día que me quieras, Carrillón de La Merced,* la mayoría de los cuales fueron musicalizados por Carlos Gardel, que también los estrenó y los llevó al disco.

LAMARQUE, Libertad
(1909-2000)

Nació en Rosario en donde, desde muy niña, comenzó a actuar y a cantar. Fue alentada siempre por sus padres, que permitieron el desarrollo de su vocación. En 1926 llegó a Buenos Aires, contratada por Pascual Carcavallo, importante empresario teatral, y en algunos años alcanzó un estrellato que perduraría hasta el final de su prolongada existencia. Libertad Lamarque brilló por igual en el teatro, el cine, la radio y la televisión. Infrecuente mezcla de talento y tenacidad, se vio obligada a emigrar a México -por motivos políticos-, en la plenitud de su carrera. Allí debió replantearla casi totalmente. Incluso, aunque no abandonó nunca el tan-go, se adaptó como cantante a nuevos géneros, diferentes ritmos y crecientes exigencias. Todo lo fue superando, y en menos de una década llegó a ser tan popular en México como lo era en la Argentina (cantó y grabó con las principales figuras de la canción mexicana, como por ejemplo, Pedro Infante y Pedro Var-gas). Sus registros discográficos, muy numerosos, se extienden a través de tres cuartos de siglo.

LOMUTO, Francisco
(1893-1950)

Pianista, director y compositor. Se destacó fundamentalmente en este último aspecto. Como intérprete fue relevante su función de director de la orquesta que acompañó a Charlo, aunque su labor en este sentido ha sido intensa. Tanto, que dejó casi mil grabaciones y se ha presentado en la mayoría de los escenarios donde en su época se requería a los buenos músicos de tango. También realizó viajes musicales a bordo de transatlánticos y estuvo una temporada en España. Fue presidente de SADAIC en varios períodos. Es autor de *606, Muñequita, El chacotón, La revoltosa, Niño Dios, Pipiolo, Dímelo al oído, Sombras nada más, Don Juan Malevo, Mala suerte, La rezongona* y otros.

MADERNA, Osmar H.
(1918-1951)

Se destacó como pianista y arreglador en las orquestas de Caló, Francini, Federico, Pontier, hasta que organizó y dirigió su propio conjunto, con el que imprimió nueva, distintiva sonoridad y riqueza rítmica al tango. Fue convocado por radios, estudios cinematográficos y grabadoras. Es autor de *Pequeña, Concierto en la Luna, Lluvia de estrellas, Rapsodia en tango, Escalas en azul, etc.* y otros más. Su discografía es de 56 placas, grabadas entre 1946 y 1951, y en ellas se encuentran las voces de seis de sus cantores. Maderna murió prematuramente, en un accidente de aviación.

MAFFIA, Pedro M.
(1899-1967)

Su primer instrumento musical fue el piano, al que que luego cambió por el bandoneón. Se inició profesionalmente en el café paterno, para continuar en otros de distintos barrios, hasta llegar al Centro. Contratado por Firpo hacia 1917, estuvo en su conjunto durante seis años. En 1924 organizó su primera orquesta y poco después enseñó en un conservatorio de música junto a Piana. También hay que destacar la labor docente desarrollada desde distintos centros educativos. Es autor de medio centenar de composiciones, entre las que sobresalen *Pelele*, *Púa brava*, *Juan Tango*, *Mangangá*, *Callejón porteño*, *Taconeando*, *Ventarrón*, *Amurado*, *Tiny*, *La biaba de un beso* y *Te aconsejo que me olvides* Su discografía es de 175 composiciones y se incluyen en ella las grabaciones logradas por el dúo de bandoneones Maffia-Laurenz y Maffia-De Franco. Maffia es considerado el creador y uno de los màximos representantes- de una escuela bandoneonística evolutiva, que privilegia el buen gusto, el equilibrio expresivo y cierto intimismo.

MAGALDI, Agustín
(1898-1938)

Se inclinó por el repertorio criollo y popular, al que abordó a través de varios dúos, en los que fue siempre primera voz. Pronto debutó en radio y fue convocado por Rosita Quiroga para grabar. Poco después formó dúo con Pedro Noda. En 1924, este dúo registró su primera grabación, e inició así una auspiciosa marcha hacia la consagración (permaneció entre esa fecha y 1932 grabando para el sello Brunswick, para pasar entonces a Victor). En todos esos años se presentó con Noda en cines, teatros y radios, a la vez que realizaba frecuentes giras al Uruguay y a Chile. Al mismo tiempo fue llamado para filmar *Monte Criollo*. En 1935 terminó su vinculación con Noda y continuó como solista. Ya era llamado La Voz Sentimental de Buenos Aires. El progresivo deterioro de su salud lo obligó a retirarse del ambiente artístico en plena fama. Su desaparición provocó un enorme duelo público. Magaldi es autor de casi sesenta composiciones, entre las que se encuentran los tangos *Trapo viejo, No quiero verte llorar, El penado 14, Mañana es mentira, Allá en el bajo, Triste destino, Cautivo, Jorobeta, De punta y hacha,* que sobresalen por la popularidad adquirida. Su discografía llegó a 326 composiciones, incluyendo las realizadas con Rosita Quiroga y Pedro Noda.

MAGLIO, Juan F.

(1880-1934)

Auténtico precursor, de reconocidos méritos, tanto por sus sus contemporáneos como por las generaciones sucesivas. Después de iniciarse como solista del bandoneón en bares y cafés, organizó un cuarteto con el que fue llamado a grabar en distintos sellos. Se lo convocaba desde todos los lugares en que se tocaba tango, pues su musicalidad atraía al público y convocaba a los bailarines. Realizó giras por el interior y por Montevideo. Las radios y los cafés y bares porteños se disputaban su actuación. Es autor de numerosas composiciones, entre las que resaltan *El zurdo, Armenonville, Cuasi nada, Un copetín, Qué papelón, Sábado in-glés, Adelita, Tomá mate Chinita, El alero y Tacuarí.* Llegó a grabar 764 temas.

MAIZANI, Azucena J.

(1902-1970)

Se inició cantando con Francisco Canaro. Posteriormente se incorporó a la compañía teatral de César Ratti. A partir de 1923 alcanzó gran popularidad y prestigio. De allí que fue solicitada por las radios y las grabadoras y, al mismo tiempo, por empresarios que deseaban que actuara en las principales ciudades del Interior. También fue llamada desde el Exterior, y se presentó en España y México. Intervino en varias películas. Se conocen como de su autoría doce tangos, un vals y una ranchera. De los primeros se destacan *Pero yo sé, Amores de Carnaval, La canción de Buenos Aires y Decí que sí*. Si bien en su repertorio entraron composiciones de muy variados compositores, siempre manifestó preferencia por Enrique Delfino. Su discografía está compuesta por 280 grabaciones y su filmografía, por 7 películas.

MANZI, Homero

(1907-1951)

Llegó con su familia a Buenos Aires desde Añatuya, Santiago del Estero -su lugar de nacimiento-, y se radicó en el barrio de Boedo. Pronto se vinculó con la peña literaria del Café de San Juan y Boedo. Colaboró en muchas revistas literarias y en otras dedicadas a la vida artística en general. También escribió en periódicos y se lo convocó para participar en el rodaje de varios filmes. Fue uno de los fundadores de Artistas Argentinos Asociados. Escribió los argumentos de algunas películas que han hecho época en el cine nacional, como *La Guerra Gaucha, Donde mueren las palabras* y *Pampa bárbara.* Su contribución al tango, como letrista, es realmente enorme, y así lo testimonian títulos como *Malena, Milonga del 900, Sur, Tu desprecio, El último organito, Barrio de tango, Che, bandoneón, Discepolín, Milonga sentimental, El pescante, Fuimos, Manoblanca, Viejo ciego,* en los que contó con músicos como Troilo, Piana, Dames, Demare, de Bassi... El último de los títulos mencionados, uno de los primeros que alcanzó notoriedad, es de 1925. Lo grabó Charlo con la orquesta de Francisco Canaro, tres años más tarde, para el sello Odeón, pero posiblemente la versión más lograda y más aplaudida sea la de Troilo con Rivero. En realidad, de toda la magnífica producción de Homero Nicolás Manzione –tal su verdadero nombre-, siempre los temas más recordados son los que grabó (y en muchos casos también compuso) Aníbal Troilo.

MARINO, Alberto
(1923-1989)

Cantor y letrista nacido en Italia. Su participación en el tango lo distingue como uno de los más grandes vocalistas de las décadas de 1940 y de 1950. Se inició cantando como solista en radios porteñas y cafés céntricos. En 1942 se unió a Aníbal Troilo, con quien permaneció hasta 1946. Hay abundantes grabaciones de este período, que es posiblemente el de su mayor popularidad. Luego continuó como solista, con el acompañamiento de diversos conjuntos. Su discografía es de 233 temas. Se inicia en 1943, con Troilo, grabando en RCA Victor, para continuar en 1947, acompañado por Emilio Balcarce, con quien graba en Odeón; dos años más tarde con Héctor M. Artola o acompañado de guitarras. Y posteriomente secundado por Hugo Baralis, Osvaldo Manzi, Norberto Vignola, Héctor Stamponi, Osvaldo Tarantino y

Alberto Di Paulo. Es autor de tangos como *El veterano, Calle del ocaso, Busco tu piel, Mi barco ya no está, Te tengo que olvidar,* entre otros.

MATTOS RODRIGUEZ, Gerardo H.
(1897-1948)

El resto de su producción musical para películas o tanguística, como *La muchacha del circo, San Telmo, Che, papusa, oí, Pobre corazón, La milonga azul, El caballo de oros, Mocosita, Margarita punzó, Pobre corazón o Hablame,* sencillamente ha quedado opacado por *La cumparsita.* Es que el mérito de este pianista uruguayo consistió en ser el compositor del tango por antonomasia de la música ciudadana rioplatense. Creado como marcha para un grupo juvenil de estudiantes, el tema se estrenó en el Café La Giralda, de Montevideo, en 1917, interpretado por la orquesta de Roberto Firpo. Esta composición ha dado lugar a una larga lucha por los derechos autorales de la letra y la música, hasta que definitivamente se le reconocieron esos derechos a Mattos Rodríguez. Gardel la grabó en 1924, para Odeón, acompañado por las guitarras de José Ricardo y Guillermo Barbieri. A partir de entonces, y hasta la actualidad, se han sucedido innúmeros registros de *La cumparsita.*

MORAN, Alberto
(1922-1997)

Su verdadero nombre era Remo Andrés Recagno y había nacido

en Italia el l5 de marzo del año 22. Desde pequeño vivió en Buenos Aires y, cuando apenas tenìa 22 años –hacía menos de tres de sus inicios como cantor con la orquesta de Alberto Las Heras-, lo contrató Osvaldo Pugliese. Once años permaneció en la orquesta del gran maestro, con la que adquirió una consustanciación única. Fue un verdadero imán para la platea femenina, ya que el Flaco, como se lo llamaba, era de una gran apostura. Como solista obtuvo tambièn gran éxito, pero en el recuerdo suele asociárselo casi indefectiblemente al conjunto de Pugliese, con el que interpretó auténticos sucesos, como *Una vez, Barro, San José de Flores, Pasional, etc.*

MORES, Mariano

(1918-)

Muy joven todavía se convirtió en el pianista, reorganizador y modernizador de la orquesta de Francisco Canaro. Y durante los años de su permanencia en el conjunto no sólo logró imponer algunas de sus composiciones, sino que alcanzó a relanzar al gusto popular por esta tradicional agrupación, que estaba decayendo. Desde 1948 hasta la fecha ha dirigido su propia orquesta, imponiendo sus ideas en cuanto a ritmo y a colorido musical. Sus composiciones, varias de las cuales son verdaderos clásicos del tango, llegan a casi setenta títulos. Entre ellos se destacan *Cuartito azul, Uno, Cristal, Gricel, Adiós pampa mía, Una lágrima tuya, Sin palabras, Cafetín de Buenos Aires, Tanguera, En esta tarde gris, Taquito militar, El Firulete, Frente al mar, El patio de la morocha y La Calesita.* Intervino en la filmación de varias películas y protagonizó numerosos espectáculos musicales. Ha realizado giras por el Exterior, cosechando siempre aplausos y críticas consagratorias. Su discografía, que supera con largueza los dos centenares de grabaciones, se inició en 1954 y se prolonga hasta nuestros días.

PETTOROSSI, Horacio G.
(1896-1960)

Porteño. Guitarrista y compositor. A partir de los 14 años se dedicó de lleno a su instrumento, acompañando, en el teatro San Martín, a las compañías de Elías Alippi y de Pepe Podestá. Esto le permitió vincularse con Gardel y Razzano, que se presentaban en la sala citada. Más tarde formó parte del acompañamiento musical de Ignacio Corsini. En 1925 se incorporó al circo Sarrasani, con el que viajó a Alemania y más tarde a Francia. Luego siguió su peregrinaje artístico por España, Italia, Grecia, Rumania y Turquía. En 1931, ya de nuevo en Buenos Aires, se presentó con una orquesta de 20 instrumentos en teatros y radios. A poco, volvió a Grecia y de allí otra vez a Francia. Fue asiduo colaborador de Gardel, en la parte musical de sus películas. Casi en vísperas de su muerte, éste lo convocó nuevamente (Pettorossi estaba entonces en Buenos Aires), pero no pudo viajar, por cuestiones personales que lo retuvieron en la Argentina. Fue acompañante de Enrico Caruso en algunas presentaciones del gran cantante. Es autor de temas como *Silencio, Noches de Atenas, Lo han visto con otra, Angustia, Esclavas blancas, Galleguita, Fea, Torcacita*, etc.

PONTIER, Armando
(1917-1983)

Entre 1937 y 1945 se desempeñó como bandoneonista en varias

agrupaciones. Desde entonces tuvo su propia orquesta, co-dirigida por épocas con Francini. Una década más tarde se separó y continuó por su cuenta. Viajó al Japón en dos oportunidades. Actuó en radios, canales de televisión, espectáculos musicales y realizó giras por ciudades del Interior. Es compositor de casi ochenta títulos, entre los que sobresalen *Milongueando en el 40, A los amigos, José Manuel Moreno, Cuando talla un bandoneón, Poema de arrabal, Pichuco, Cada día te extraño más, Margo, Trenzas, Tabaco.* Su discografía llega a 373 registros.

PONZIO, Ernesto

(1885-1934)

Nacido en el barrio de San Telmo, adquirió una sólida cultura musical (fue fundamental en este caso, la dedicación de su madre). Se inició profesionalmente actuando en el Barrio del Abasto y en lugares del bajo fondo. Se hizo compañero insepa-rable de tauras y malevos que frecuentaban esos lugares. Tocó en la Batería, en lo de Hansen en el Tambito, en lo de Laura, en lo de Concepción Amaya, en lo de Mamita y en lo de La Vasca. Es el autor de *Ataniche, Cara dura, El azulejo, Quiero papita, Culpas ajenas, Don Natalio, La milonga, Los inmortales y Don Juan,* composición con la que trasciende largamente a su época.

PUGLIESE, Osvaldo P.

(1905-1995)

Está considerado como uno de los más completos músicos de la segunda mitad del siglo XX, ya que ha sobresalido como pianista, compositor y director orquestal. Se inició con Paquita Bernardo, para pasar desde entonces y hasta 1939 por una larga serie de conjuntos. Ese año formó su primera orquesta, con la que debutó en el Café Nacional de la calle Corrientes. Desde entonces hasta poco antes de su muerte fue contratado por radios, canales de televisión, cafés, confiterías, clubes, etc. También realizó viajes a la URSS, Japón, China. Superó con grandeza las dificultades que por cuestiones políticas obligó a la presentación de su orquesta sin su presencia, con el banquillo del piano vacío. Al cumplir sus 55 años con el tango, en 1994, se lo homenajeó en una reunión pública, a la que concurrieron muchos músicos, que le manifestaron su afecto y su respeto. También ha recibido el reconocimiento de las autoridades nacionales y municipales. Su discografía totaliza 447 títulos. Sus creaciones, casi 70, incluyen temas como *Recuerdo, La Yumba, Una vez, Primera categoría, Igual que una sombra, Sentimental, Retoños, Negracha, La Beba, Juventud, Adiós Bardi, Barro, Cardo y malvón y Milonguero.*

PUGLISI, Cayetano
(1902-1968)

Violinista de origen siciliano, que llegó a Buenos Aires en 1909, después de haber hecho sus estudios de violín en Italia y en Grecia. Se dedicó al tango como medio de allegar fondos para proseguir con sus estudios musicales, tocando en cafetines en donde era necesario pasar el platito. Luego actuó en el Café Iglesias y también con la orquesta de Roberto Firpo. Más tarde tocó con Francisco Canaro. Al separarse formó su orquesta, que se distinguió por una modalidad propia, un matiz distinto, depurado, cualidades que hablan claramente de su capacidad y genuinidad como intérprete y director. Su producción tanguera incluye títulos como *Mi lobito, Tambor, Dempsey, Mirando al cielo, Alma criolla, Sueño florido, Milonguero y Diez años,* y su discografía asciende a 32 registros.

QUIROGA, Rosita
(1901-1984)

Debutó en el teatro Empire en 1923, y se desempeñó luego en otros escenarios en donde se brindaban piezas del género chico porteño, en los que pronto consiguió el favor del público. Ello la decidió a realizar giras por el Interior (su caballito de batalla era el tango *Julián*). También fue requerida por radios y grabadoras. Se estima su discografía en 212 composiciones. Durante treinta años su acompañamiento musical estuvo a cargo del trío de Ciriaco Ortiz. Si bien su popularidad en nuestro medio ha sido notable, se destaca aún más la que alcanzó en el Japón. Son de su autoría *Carta brava, Oíme negro, Apología tanguera* y *De estirpe porteña*, entre otros temas.

RAZZANO, José F.
(1887-1960)

El nombre de este cantor uruguayo perdura esencialmente por la íntima relación musical que lo vinculó a Gardel a partir de 1917. Antes había actuado como solista o como integrante de grupos pequeños, grabando de manera esporádica. Entre esa fecha y 1925 realizó una intensa labor junto a Gardel, con quien formó uno de los dúos más famosos que han existido en la música popular. Luego fue compañero, amigo y administrador del ídolo. También, dirigente sindical y miembro de SADAIC. Entre sus múltiples composiciones es posible recordar *El sol del 25, La china fiera, Adiós que me voy llorando, Café de los Angelitos y Camino del Tucumán.* Esta última fue compuesta en 1946, y colaboró en la letra Cátulo Castillo, y en la música Armando Pontier. La grabó Alberto Podestá, el mismo año, para Odeón, cuando cantaba con la orquesta Francini-Pontier.

RIVERO, Edmundo L.

(1911-1986)

Después de un inicio como solista fue incorporado a su orquesta por Julio De Caro, pero después de desvincularse pasaron varios años sin que ningún otro conjunto de tango lo convocara. Quebró esta postergación Horacio Salgán y, al desligarse de su orquesta, fue Aníbal Troilo quien lo llamó. Ya definitivamente como solista, en 1958 viajó a España, en donde actuó con aceptable repercusión de crítica y de público. En 1965 y 1967 se presentó en los Estados Unidos. Luego viajó al Japón, en donde renovó el apoyo popular. A su regreso continuó con sus actuaciones en radio, en televisión y en el local de su propiedad, El Viejo Almacén, ubicado en San Telmo, sitio de tango que Rivero convirtió en un lugar clásico para el género. Su discografía completa llega a las cuatrocientas setenta y una composiciones. Los más trascendentes entre los tangos de su autoría son *Quién sino tú, El jubilado, No mi amor y Para vos hermano tango.* Además hay que considerar una faceta muy especial de su labor, que consistió en revitalizar las composiciones en lunfardo, como *Aguja brava, Biaba, Bronca, Amablemente,* etc

ROVIRA, Eduardo O.
(1925-1980)

Pianista y bandoneonista que inició sus actuaciones muy precozmente, a los nueve años, en el Café Germinal. A fines de 1950
formó su propia orquesta, después de una trayectoria que cubrió
diversos conjuntos, tales como los de Fiorentino, Caló, Goñi,
Rodio, Maderna, Basso, Gobbi y Manzi. Lo llamaron de muchas
radios, bailes, confiterías y sellos grabadores. Y consiguió un
apreciable apoyo del público por la sonoridad y el ritmo obteni-
dos, en su condición de cultor del modernismo, como queda ex-
presado en la música de sus tangos: *Policromía, El engobiao, A
Evaristo Carriego, Sónico, Monotemático y Que lo paren* (lo
más logrado de su producción). Es considerado compositor clave
de la vanguardia tanguera en la década de 1960. Sus grabaciones
se extienden entre 1957 y 1975. Contó con la colaboración de
Reynaldo Nichele, Leopoldo Federico, Osvaldo Manzi y Atilio
Stampone, por mencionar sólo a sus compañeros más destacados.

RUBINSTEIN, Luis
(1908-1954)

Trabajó desde muy joven en una fábrica de gorras, para ser luego
lechero, almacenero, zapatero, repartidor de carne, etc. Poco a
poco logró aventurarse en la senda del tango y en 1920, a los 12
años, ya cantaba en el Parque Goal de la Avenida de Mayo, sien-

do muy apreciado por la concurrencia, debido a su magnífica voz. Las privaciones y dificultades no le impidieron ir componiendo letras para hipotéticas canciones, hasta lograr con el tiempo que algunos compositores les pusieran música. Su primer tango fue *Estoy borracha*, en colaboración con Anselmo Aieta, tema que llevó al disco Rosita Quiroga. Sucesivas composiciones musicales sirvieron para enmarcar las letras de *Criolla linda, Gaucha, Dominio, Maldonado, Cadenas, Esperanzas, ¿Qué he hecho?, Cuatro palabras, Ciego, Venganza, Tu perro pequinés, Un crimen* y *Tarde gris.*

RUFINO, Roberto

(1922-1999)

Se inició como cantor en la orquesta de Antonio Bonavena, en 1937, cuando apenas tenía quince años. Siguió luego en los conjuntos de Tarabini y De Pose, con los que cantó en el Nacional. Entró merecidamente por la puerta grande, al ser convocado por Carlos Di Sarli en 1939 Actuó entonces en radios y registró muchas composiciones. Le siguió una etapa como solista, que dejó para cantar con Francini-Pontier y luego con Troilo. Estuvo después con Roberto Caló, y completó su trayectoria nuevamente como solista. Ha dejado su espléndida voz impresa en muchas grabaciones y ha actuado en radios, canales de televisión, bailes, confiterías y locales nocturnos. También realizó exitosas giras por el Interior y por varios países latinoamericanos. Su discografía llega a las 201 composiciones, y la integran más de sesenta temas de su propia producción. Entre ellos es posible recordar *Carpeta, Destino de flor, El clavelito, Eras como la flor, Estoy pagando la culpa, La calle del pecado, Tabaco rubio* y *Total pa' qué*. Usó en algunas oportunidades, en las que cantó temas melódicos, el seudónimo de Bobby Terré.

SABORIDO, Enrique

(1877-1941)

Uruguayo. Violinista y pianista. A los dos años su familia se trasladó a Buenos Aires, donde hizo los estudios primarios. Formó su primera orquesta en 1898. Con ella trabajó en fiestas familiares y también se presentó en reuniones barriales. Posteriormente trabajó en la casa de La Vieja Eustaquia, luego en el Hansen y cumplió además temporadas en Mar del Plata. En 1912 viajó a París para actuar como bailarín -no como músico-, pero regresó al poco tiempo, ante la inminencia de la Gran Guerra. Pasó un largo período retirado de las actividades musicales públicas, para reaparecer en 1932 al frente de una orquesta con la que se presentó en teatros, radios y bailes. Ha dejado un apreciable número de grabaciones. Son de su autoría *La morocha, Felicia, Papa frita, Queja gaucha, Mosca brava* y algunos otros temas menos importantes. *La Morocha* es una composición que, como muy pocas en el tango, reúne popularidad inmediata y perdurabilidad. Cuando Saborido la dio a conocer, en 1905, se vendieron 280.000 ejemplares, y muy pronto se la incluyó en todos los repertorios.

SALGAN, Horacio A.

(1916-)

Este pianista, compositor y director porteño ha sido y es uno de los músicos más representativos de la vanguardia musical de la década de 1940. En su orquesta cantaron Edmundo Rivero, Roberto Goyeneche Angel Díaz y Horacio Deval. En sus inicios profesionales formó una orquesta de jazz, con repertorio tradicional. Luego se abocó al tango, tocando en el cafetín el Gato Negro, cuando tenía 14 años. Su primera orquesta típica es de 1944, con sonido particular y buen ritmo bailable, con repertorio clásico, en el que incluía composiciones propias. Permaneció dirigiendo la orquesta hasta 1957 y luego integró el Quinteto Real. En forma paralela dio recitales con el guitarrista Ubaldo De Lío, con el que formó un incompàrable dúo. Al mismo tiempo se ha destacado como eximio arreglador. En este sentido algunas de sus grabaciones son hitos para escuchar y aprender, ya que conjugan musicalidad, sonoridad y buen gusto. Ha realizado giras por el Interior y el Exterior, entre las que se destaca la que realizara por el Japón. Su discografía, iniciada en 1955, llega a 255 composiciones. Son de su producción más de sesenta piezas. Entre las de mayor relieve cabe mencionar *A Don Agustín Bardi, Grillito, A fuego lento, Tango del balanceo, Del 1 al 5, Cortada de San Ignacio y Tango del eco.* Es autor, asimismo, de la música de obras de teatro, de películas y del *Oratorio a Carlos Gardel,* con argumento y poemas de Horacio Ferrer. En abril del año 2000 cumplió 70 de actuación como pianista de tangos.

SIMONE, Mercedes

(1904-1990)

Acompañada por un conjunto de guitarras se inició muy joven como solista. En poco tiempo llegó a la radio, el disco, el teatro y el cine. Realizó giras artísticas por Colombia, Venezuela y Chile. Y más allá de su condición de ser una de una de las grandes voces femeninas del tango, fue una interesante autora y compositora. Le pertenecen creaciones como *Angustias, Ríe, payaso, ríe, Zapatos blancos, Te quedás pa' vestir santos, Oiga, agente,*

Inocencia, Cantando, Gracias a Dios, Incertidumbre y Tu lle-gada. Sus grabaciones comenzaron en 1927 en Victor -sello para el que registró *Estampa Rea* y *El Morito-*, para continuar en Odeón y TK, hasta 1966. Esta discografía, que alcanza a 254 temas, tiene la particularidad de contener dúos consigo misma, según el método gardeliano.

STAMPONE, Atilio A.

(1926-)

Se inició profesionalmente como pianista en 1941, para luego tocar con Maffia y más adelante acompañar a Rufino. Viajó a Italia para realizar estudios musicales de perfeccionamiento y al regresar formó su primera orquesta. A partir de entonces ha actuado en radios, canales de televisión, locales nocturnos y ha realizado giras por el Interior y Exterior. Además, compuso la música de siete películas. Su discografía es de 125 composiciones. Ha brindado impecable acompañamiento musical a grandes solistas, como Roberto Goyeneche, Virginia Luque, Hugo Marcel, Eladia Blázquez y Susana Rinaldi. Entre los numerosos tangos que ha compuesto es posible recordar *Viejo gringo, Romance de tango, Afiches, Ciudadano*, etc. Todos de elevada calidad musical, la misma que Stampone evidencia permanentemente como intérprete.

STAMPONI, Héctor

(1916-1997)

La iniciación profesional de este pianista y compositor bonaerense fue de bajo perfil hasta el regreso de su viaje a México (entre 1943 y 1946), oportunidad en la que acompañó musicalmente a una figura de la canción y del cine, Amanda Ledesma, que tenía en aquel momento gran notoriedad. Entonces formó orquesta, con la que se presentó en numerosos escenarios. Fue también acompañante de populares cantores, como Edmundo Rivero, Roberto Rufino, Alberto Marino y Hugo del Carril. Su discografía supera el centenar de grabaciones. Y entre su creaciones se destacan *Romance de tango, Azabache, Qué me van a hablar de amor, El último café, Pedacito de cielo, Perdoname, Mi cantar, Triste comedia, Flor de Lino* y otras, varias de las cuales han alcanzado notable popularidad.

TROILO, Anibal

(1914-1975)

Después de una iniciación errática fue convocado para tocar con Vardaro-Pugliese, pasando por otras agrupaciones de primer nivel hasta que en 1937 debutó con su propia orquesta. Desde entonces y hasta su muerte no dejó de ser llamado a todos los lugares donde se escuchaba o bailaba tango. También participó en espectáculos teatrales, películas y programas de televisión. Recibió numerosos reconocimientos del público y de las autoridades.

El cuidado puesto en los arreglos orquestales, el pulimento de los cantores seleccionados y el sonido elegantemente expresivo de su orquesta, fueron aristas distintivas de su trayectoria. Por eso, más allá de su condición de bandoneonista, compositor y director, sobresale su carismàtico poder de convocatoria. Es que con él trabajaron revolucionarios arregladores –Argentino Galvàn, Héctor Artola, Astor Piazzolla, entre ellos-; letristas insignes –bastará con nombrar a Homero Manzi, Enrique Cadicamo, Cátulo Castillo y Homero Expósito-, y cantores excepcionales –Francisco Fiorentino, Alberto Marino, Floreal Ruiz, Edmundo Rivero, Roberto Goyeneche-. Su extensa discografía, iniciada en 1938, llega hasta 1972 y totaliza 484 temas. También sus composiciones son numerosas, ya que reúne sesenta títulos entre tangos, milongas y valses: *Total pa´ que sirvo, Evocándote, Medianoche, Pa´ que bailen los muchachos, Garúa, María, La trampera, A Homero, Sur, Testamento tanguero, Tu penúltimo tango, Responso, Patio mío, La cantina, Che bandoneón*, etc.

VARDARO, Elvino
(1905-1971)

Después de completar los estudios primarios se dedicó a aprender el violín, al tiempo que trabajaba en una gomería. Debutó en 1920 y pronto ingresó a la orquesta de Juan Maglio. Tocó más tarde con Pedro Maffia y, al separarse de éste, formó el sexteto típico Vardaro-Pugliese, con el que actuó en el cine Metropol, para luego realizar una gira por las Provincias. Al regreso se unió a la orquesta de Francisco Canaro, con la que se presentó en Radio Nacional. Formó después un nuevo sexteto, con el que actuó en el Café Germinal y en radios porteñas. Fue llamado por las casas grabadoras, en virtud de la alta calidad impresa a cada una de sus interpretaciones, como ejemplo de estilizado modernismo. Fue fundamentalmente uno de los más grandes violinistas de tango, y también un delicado y personal compositor (*Dominio, Tinieblas, Y a mí qué me importa, Mía, Humos de reina, Fray milonga, Bailes de patio, Una vida y Ternura...*).

VILLOLDO, Angel G.
(1861-1919)

Practicó la guitarra, el violín, la armónica y el piano. Famoso en el ambiente del tango, era indispensable en toda fiesta y en todo baile, donde concurría no sólo en calidad de autor y ejecutante, sino también como cantor y bailarín. Fue contratado para grabar en Francia, junto con Alfredo Gobbi, (p), y actuó en algunos cabarets como bailarín o cantor. Sus composiciones le han valido el ser considerado como el padre del tango argentino. Entre ellas sobresalen *El choclo, La culpa vos la tuviste, El Esquinazo, Cuerpo de alambre, Pamperito, ¡Tan delicado, el niño!, El porteñito, Cuidado con los cincuenta, El caballero, La Morocha, El torito, Soy tremendo, La caprichosa, El presumido, El pechador, La budinera* y *El argentino. La Morocha,* una de sus composiciones más acreditadas y difundidas, lleva música de Enrique Saborido, es de 1905 y se dice que fue estrenada por Lola Candales, en el Bar Reconquista. Se supone que es una de las primeras partituras de tango llevadas a Europa (fue impresa en 1906). Su discografía es de 139 temas. Utilizó el seudónimo de Antonio para las grabaciones prostibularias y pornográficas, y también el de Techotra. Su vida, su obra y su tiempo han servido para el desarrollo de importantes trabajos exegéticos.

BIBLIOGRAFÍA INDICATIVA

Libros

Alposta, Luis: *Los Bailes del Internado*, En Historia del Tango, t.8, Edit. Corregidor, Bs. As., 1977.

Arizaga, Rodolfo: *Enciclopedia de la Música Argentina*, Edit. Fondo Nacional de las Artes, Bs. As., 1971.

Barcia, José: *Discepolín*, C. E. A. L., Bs. As., 1971.

Barcia, José: *Charlo*, en Historia del tango, t. 11, Bs. As., 1998.

Bates, H. y L.: *Historia del Tango*, Edit. Cía. Fabril Financiera, Bs. As., 1936.

Benarós, León: El tango y los Lugares y Casas de baile, en Historia del tango, t. 2, Editorial Corregidor, Bs. As., 1977.

Benarós, León: *Sebastián Piana y la milonga porteña*, en Historia del tango, t. 12, Editorial Corregidor, Bs. As. 1978..

Bosch, Mariano: *Historia del Teatro Nacional en Buenos Aires*, Edit. Comercio, Bs. As., 1910.

Bosch, Mariano: Historia de los Orígenes del Teatro Nacional Argentino, y la Epoca de Pablo Podestá, Edit. Solar Hachette, Bs. As., 1979.

Cadícamo, Enrique: *Memorias*, Edit. Corregidor, Bs. As., 1999.

Canaro, Francisco: Mis Memorias, *Mis Bodas de oro con el Tango*, Edit. Corregidor, Bs. As., 1999.

Carretero, Andrés M.: *Tango Testigo Social*, Edit. Peña-Lillo-Continente, Bs. As,, 1999.

Carretero, Andrés M.: *El compadrito y el Tango*, Edit. Peña Lillo-Continente, Bs. As. 1999.

Carretero, Andrés M.: *Prostitución en Buenos Aires*, Edit. Corregidor, Bs. As., 1998.

Carretero, Andrés M.: *Vida cotidiana en Buenos Aires*, 3 ts. Edit. Planeta, Bs. As, 2000/1.

Colier, Simón: *Carlos Gardel*, Edit. Sudamericana, Bs. As., 1999.

De Caro, Julio: El Tango en mis recuerdos. Su Evolución en la His-

224

toria, Edit. Centurión, Bs. As., s/f.

de Diego, Jacobo: *Prontuario de la Patota Porteña,* En Todo es Historia, N.º 101, Bs. As., octubre de 1975.

De Lara, T. y Roncetti de Panti, I. L.: *El Tema del Tango en la Literatura Argentina,* E.C.A., Bs. As., 1961.

Ferrer, Horacio: *El Libro del Tango, 3 ts.,* Edit. Antonio Tersol, Barcelona, 1980.

Ferrer, Horacio: *El Tango, su Historia y su Evolución,* Edit. Peña Lillo-Continente, Bs. As., 1999.

Ferrer, Horacio: *El Siglo de Oro del Tango,* Edit. Martínez Zago, Bs. As., 1996.

Ferrer, H. y del Priore, Oscar: *Inventario del tango, 2 ts.,* Edit. Fondo Nacional de las Artes, Bs. As., 1900.

Galasso, Norberto: *Discépolo y su época,* Edit. Corregidor, Bs. As., 1995.

García Jiménez, Francisco: *El Tango, Historia de Medio Siglo, 1880-1930,* Edit. Eudeba, 1965.

García Jiménez, Francisco: *Así Nacieron los Tangos,* Edit. Corregidor, Bs. As., 1997.

García Jiménez, Francisco: *Carlos Gardel y su época,* Edit. Corregidor, Bs. As., 1976.

Gobello, José: *Orígenes de las Letras de Tango,* en Historia del Tango, t.1, Edit. Corregidor, Bs. As., 1971.

Gobello, José: *Crónica General del Tango,* Edit. Fraterna, Bs. As, 1980.

Gorin, Natalio: *Astor Piazzola, a manera de Memorias,* Edit. Perfil Libros, Bs. As., 1998.

Gutiérrez Miglio, Roberto: *El Tango y sus Intérpretes,* t. 1, Edit. Corregidor, Bs. As. , 1994.

Gutiérrez Miglio, Roberto: *El tango y sus intérpretes,* t. 2, Corregidor, Bs. As. 1997.

Gutiérrez Miglio, Roberto: *El tango y sus intérpretes,* t.3, Edit. Corregidor, Bs. As., 1999.

Gutiérrez Miglio, Roberto: *El tango y sus intérpretes,* t.4, Edit. Corregidor, Bs. As., 1999.

Labraña, L, y Sebastiani, A.: *Tango, una Historia,* Edit. Corregidor, Bs. As., 2000.

Lamas, H. y Binda, E.: *Tango en la Sociedad Porteña 1880-1920,* Ediciones Héctor L. Lucci, Bs. As., 1998.

Lara, T. de y Roscetti de Panti, I.: *El tema del Tango en la Literatura Argentina,* E. C. A., Bs. As., 1961.

López, Héctor: *Anibal Troilo,* en Historia del tango, t. 16, Edit. Corregidor, Bs. As., 1998.

Llanes, Ricardo M.: *Historia de la Calle Florida, 3 ts.,* Edit. Honorable Sala de Representantes de la Ciudad de Buenos Aires, Bs. As., 1976.

Llanes, Ricardo M.: *Verdad y leyenda del Café de Hansen,* en La Prensa, 28/8/1965, Buenos Aires.

Luque Lagleize: Julio A.: *El Pabellón de las Rosas y el Armenonville,* en La Gaceta de Palermo, N.º 9, Bs. A., 1987.

Lynch, Ventura: *Cancionero bonaerense,* Edit. Instituto de Literatura Argentina, Facultad de Filosofía y Letras, Bs. As., 1925.

Lynch, Ventura: *Folclore bonaerense,* Edit, Lajouane, Bs. As., 1953.

Marambio Catán, Carlos: *Sesenta años con el Tango,* Edit. Freeland, Bs. As., 1973.

Marechal, Leopoldo: *Historia de la calle Corrientes,* Edit. Páidos, Bs.. As. 19667.

Martínez Estrada, Ezequiel: *La cabeza de Goliat,* Edit. Losada, Bs. As., 1998.

Molinari, Ricardo L.: *Buenos Aires, cuatro siglos,* T.E.A., Bs. As., 1987.

Natale, Oscar: *Buenos Aires, negros y tangos,* Edit. Peña Lillo, Bs. As., 1984.

Onega, Gladys S.: *La inmigración en la literatura argentina 1880-1910,* Edit. Galerna, Bs. As., 1969.

Ordaz, Luis: *Breve Historia del teatro argentino.* 6 vols., Edit. Eudeba, Bs. As., 1962-5.

Ortiz Oderigo, Néstor: *Aspectos de la Cultura africana en el Río de la Plata,* Edit. Plus Ultra, Bs. As., 1974.

Ortiz Oderigo, Néstor: *Africanismos en la coreografía del tango,* en La Prensa, 9/11/1979, Buenos Aires.

Ostuni, Ricardo: *Presencia de la Poesía Culta en las Letras de tango,* en Cuadernos de Lecturas Académicas N.º 2, Edit. Academia Nacional del Tango, Bs. As., s/a.

Ostuni, Ricardo: *Viaje al corazón del tango,* Edit. Lumiere, Bs. As., 2000.

Outeda, R. y Cassinelli, R.: Anuario del tango, Edit. Corregidor, Bs. As., 1989.

Pérez Amuchástegui, Antonio J.: *Mentalidades argentinas,* Eudeba, Bs. As., 1965.

Pesce, Rubén: *La Guardia Vieja,* en Historia del Tango, t. 3, Edit. Corregidor, Bs. As., 1977.

Pino, Diego A. del: *Barracas en la Historia y la Tradición,* Edit. Municipalidad de la Ciudad de Buenos Aires, Bs. As., 1964.

Priore, Oscar del: *El Tango de Villodo a Piazzolla y después,* Edt. Aguilar, Bs. As., 1999.

Priore, O. del y Amuchástegui, I: *Cien Tangos Fundamentales,* Edit. Aguilar, Bs. As., 1998.

Priore, Oscar del: *Breve Reseña de la Historia del Tango,* Edit., Sociedad Argentina de Locutores, Bs. As., 1967.

Priore, Oscar del: *Historia del Tango,* Bs. As., 1967.

Puccia, Enrique H.: *Juan de Dios Filiberto,* en Historia del Tango, t. 6, Edit. Corregidor, Bs. As.,

Rossi, Vicente: *Cosas de negros,* Edit. Solar-Hachette, Bs. As., 1975.

Sábato, Ernesto: *Tango, discusión y clave,* Edit. Losada, Bs. As., 1963.

Salas, Horacio: *El Tango, 2 ts..* Edit. Planeta, Bs. As., 1997.

Salas, Horacio: *Antología de Homero Manzi,* Edit. Brújula, Bs. As, 1968.

Saldías, José A.: *La inolvidable bohemia porteña,* Edit. Freeland, Bs. As., 1968.

Sanguiao, Osvaldo J.: *Troilo,* Edit. Librería General de Tomás Pardo, Bs. As., 1995.

Santillán, Diego A. de: *Gran Enciclopedia Argentina,* 9 ts., Edit. Ediar, Bs. As. 1956/1964...

Scobie, James R.: *Buenos Aires. Del Centro a los Barrios, 1870-1910,* Edit. Hachette, Bs. As., 1971.

Sierra, Luis A.: *Historia de la orquesta típica,* Edit. Corregidor, Bs. As., 1985.

Sosa Cordero, Osvaldo: *Historia de los Varietés en Buenos Aires, 1900-1925,* Edit. Corregidor, Bs. As., 1999.

Tallón, Jorge: *El Tango en su Etapa de Música Prohibida,* Edit. Amigos del Libro Argentino, Bs. As., 1964.

Taullard, Alfredo: *Nuestro antiguo Buenos Aires,* Buenos Aires, 1932.

Ulloa, Noemí: *Tango, rebelión y nostalgia,* C.E.A.L., Bs. As., 1982.

Varios: *El sainete criollo,* Edit. Solar-Hachette, Bs. As., 1978.

Varios: *Antología del Tango Rioplatense, v.1,* Edit. Instituto Nacional de Musicología, Carlos Vega, Bs. As., 1980.

Vega, Carlos: *Las danzas populares Argentinas, 2 ts.,* Edit. Instituto de Musicología, Ministerio de Educación, Bs. As., 1952.

Vega, Carlos: *Tango andaluz y tango argentino,* en La Prensa, 1/4/1932.

Vega, Carlos: *La Formación Coreográfica Argentina,* en Revista del Instituto de Investigación Musicológica. N.º 1, Edit. Universidad Católica Argentina, Bs. As., 1977.

Villarino, Idea: *Las letras del Tango,* Edit. Schapire, Bs. As., 1965.

Villarroel, Luis F.: *Tango, Folclore de Buenos Aires,* Ideagraf Editores, Bs. As., 1957.

Zucchi, Oscar D.: *El Bandoneón en el Tango,* en La Historia del Tango, v. 5, Edit. Corregidor, Bs. As., 1977.

Diarios

Clarín, Crítica, Crónica, Diario Popular, El Censor, El Demócrata, El Porteño, El Gladiador, El Sudamericano, El Tiempo, Gaceta Textil, La Nación, La Opinión, La Prensa, La Razón, Noticias Gráficas, Sudamérica.

Revistas

Antena, Argentina Corazón y Tango, Así, Atlántida, BA Tango, Buenos Aires Cultural, Buenos Aires Tango, Canal TV, Cantando, Caras y Caretas, Club de Tango, Criterio, El Alma que Canta, El Cascabel, El Hogar, El Tangauta, Esto es, Extra, Fray Mocho, Gente, Heraldo del

Cine, La Canción Moderna, La Maga, La Semana, Lyra, Marcha, Mundo Argentino, Ocurrió, Panorama, PBT, Platea, Primera Plana, Proa, Radiolandia, Revista Argentina de Ciencias Políticas, Revista del Club de Flores, Revista de Nueva Pompeya, Revista de Radio Cultura, Siete Días, Sintonía, SODRE, Tango Recuerdos, Tangueando, Tanguera, Todo es Historia, Vida Femenina, Vigencia, Yo te Canto Buenos Aires

ÍNDICE

Obras Ya Publicadas de la Colecciòn Cofre

Edición Homenaje a José Hernández

En esta oportunidad ofrecemos una edición única y especial de gran interés por sus características particulares, que pasamos a detallar.

Es la reproducción fiel de las ediciones "príncipe" de "El Gaucho Martín Fierro", con las correcciones de puño y letra de José Hernández, que incluye "Una Memoria sobre el Camino Trasandino" publicada en 1872 y "La Vuelta de Martín Fierro" de 1879, manteniendo la individualidad de ambas publicaciones tal como Hernández las dio a conocer.

Para esta edición hemos incorporado además:

- La Literatura Gauchesca - El Martín Fierro (diálogo con Jorge Luis Borges por Roberto Alifano).
- Un vocabulario para la mejor comprensión del poema.
- Un índice cronológico histórico de los acontecimientos sociopolíticos y culturales, nacionales e internacionales, junto con los datos biográficos de José Hernández.
- Una carpeta con ilustraciones del "Martín Fierro" en cartulina, realizadas especialmente para esta edición por Roberto Páez - Gran Premio de Honor de Dibujo del Salón Nacional.

Los dos volúmenes de 12 x 20 cm. encuadernados en cartoné plastificado, totalizan 200 páginas y vienen junto con la carpeta dentro de un fino estuche ilustrado en cartoné plastificado.

MEJOR EDICIÓN – Premio de la Cámara Argentina de Publicaciones. **Para coleccionistas y bibliófilos**, ejemplares numerados del 01 al 100.

ROMANCERO CRIOLLO
LEÓN BENARÓS

ROMANCERO CRIOLLO reúne, en un solo libro, la totalidad de los romances que León Benarós lleva publicados hasta la fecha: Romances de la Tierra (1950), Romancero Argentino (1959), Romances de Infierno y Cielo (1971), Romances Paisanos (1973), Carmencita Puch (1973), Elisa Brown (1973) y Los Memoriosos (1985). Esta edición corregida, aumentada e ilustrada con más de 50 obras de artistas de todas las épocas, desde la colonia a nuestros días, ilustran cada uno de los romances del autor. Al mismo género popular -aunque no a la forma romanceada- pertenecen también otras dos obras del autor: Versos para el Angelito (1958) y Décimas Encadenadas (1962). Vale la pena citar un acertado juicio crítico de Pablo Neruda, que varias veces elogió públicamente los poemas de este libro: "León Benarós le dio al romance su verdadera magnitud, alcanzando un nivel que ni el mismo García Lorca había tratado de profundizar" (revista Análisis, 1/7/1968). En verdad, la mayoría de estos romances han tenido un destino feliz. Lo Fusilan a Dorrego, publicado originariamente en Anales de Buenos Aires, revista dirigida por Jorge Luis Borges, sirvió para que Neruda quisiera conocer al autor, al que explicó que le resultaba muy interesante la experiencia idiomática que estos romances entrañan y la particular desnudez y expresividad de los mismos. La muerte de Juan Lavalle fue publicado en la revista Sur (N° 159) por la generosa intercesión de Ernesto Sábato, y suscitó el capítulo de Sobre Héroes y Tumbas, como prefiguración y parte del tema de la luego afamada novela. Si cabe un parentesco poético, podrían vincularse estos romances con nuestro cancionero tradicional y la experiencia provinciana de su autor; las mismas fuentes que nutrieron al Lugones de los Romances del Río Seco. ROMANCERO CRIOLLO pertenece a la jerarquía de las obras que fundamentan la esencia espiritual de un país y edifican, al mismo tiempo, una literatura propia y diferente.

Esta edición
de 1000 ejemplares
se terminó de imprimir en
A.B.R.N. Producciones Gráficas S.R.L.,
Wenceslao Villafañe 468,
Buenos Aires, Argentina,
en mayo de 2004.